A VIDA COMO ELA É...

COLEÇÃO DAS OBRAS DE NELSON RODRIGUES
Coordenação de Ruy Castro

A edição das obras de Nelson Rodrigues conta com o apoio da Unicamp

NELSON RODRIGUES

A VIDA COMO ELA É...
O HOMEM FIEL
e outros contos

Seleção:
RUY CASTRO

COMPANHIA DAS LETRAS

Capa:
João Baptista da Costa Aguiar

Preparação:
Marcia Copola

Revisão:
Marcos Luiz Fernandes
Ana Maria Barbosa

Agradecemos a Sérgio Machado
a gentileza da cessão de material inédito
incluído neste livro

Dados Internacionais de Catalogação na Publicação (CIP)
(Câmara Brasileira do Livro, SP, Brasil)

Rodrigues, Nelson, 1912-1980.
   A vida como ela é — : O homem fiel e outros contos /
Nelson Rodrigues ; seleção Ruy Castro. — São Paulo :
Companhia das Letras, 1992.

   ISBN 85-7164-283-4

   1. Contos brasileiros I. Castro, Ruy, 1948- II. Título.

92-2828   CDD-869.935

Índices para catálogo sistemático:
1. Contos : Século 20 : Literatura brasileira 869.35
2. Século 20 : Contos : Literatura brasileira 869.35

1992

Editora Schwarcz Ltda.
Rua Tupi, 522
01233-000 — São Paulo — SP
Telefone: (011) 826-1822
Fax: (011) 826-5523

ÍNDICE

MAUSOLÉU

Durante uma hora maciça, deixou-se ficar, em pé, numa contemplação espantada. Lá estava a mulher, de pés unidos, as mãos entrelaçadas, entre as quatro chamas dos círios. Parentes e amigos tentavam convencê-lo: "Senta! Senta!". Mas ele, fiel à própria dor, era surdo a esses apelos. Como insistissem, acabou explodindo: "Não me amolem, sim?". E continuou, firme, empertigado. No fundo, achava que sentar, em pleno velório da esposa, seria uma desconsideração à morta. Uma hora depois, no entanto, cansou. E esta contingência física e prosaica fê-lo transigir. Ocupou uma cadeira entre dois amigos. Uma senhora gorda, aliás vizinha, inclinou-se, suspirando:

— É por isso que eu não topo viajar de avião!

Pronto. A dor do viúvo, que estava provisoriamente amortecida, reagiu. Ergueu-se, alucinado. E foi um custo para contê-lo. Apertando a cabeça entre as mãos, encheu a sala:

— Sabem o que é que me dana? Hein? Sabem? — interpelava os presentes; e prosseguiu: — É de que, do Rio para São Paulo ou vice-versa, não cai avião nenhum, ninguém morre. É o tipo de viagem canja, que todo mundo faz com um pé nas costas. É ou não é?

— É.

Mergulhou o rosto nas duas mãos, soluçando:

— Então, como é que Arlete vai morrer nessa viagem besta? Como?!...

Várias pessoas vieram confortá-lo:

— Calma, Moacir, calma!

Debateu-se nos braços que procuravam contê-lo: "Eu quero morrer também, oh, meu Deus!...".

Estavam casados há um ano. E, agora, no meio do velório, desgrenhado, Moacir fazia confidências públicas: "Nossa vida foi uma lua-de-mel tremenda!". Rilhava os dentes, evocando o beijo cinematográfico que dera no aeroporto, pouco antes de partir de avião. A esposa ia a São Paulo visitar uma tia doente, e Moacir, retido no Rio por uma série de negócios, não pôde acompanhá-la. Agora se arrependia de uma maneira atroz; esbravejava: "Ah, se eu soubesse! Se eu pudesse adivinhar!". E sustentava a tese de que teria sido, para ele, um altíssimo negócio, um negócio da China, ter despencado no mesmo avião, abraçado à mulher. E repetia:

— Como vai ser? Como vai ser?

Às dez horas da manhã, saiu o enterro. E, então, foi uma tarefa hercúlea controlar a dor furiosa de Moacir. Ele se arremessava contra as paredes; atirava-se no chão. Os pais da morta, as irmãs paravam de chorar, intimidados, ante uma dor maior. Não queriam deixar o viúvo ir ao cemitério; ele teve que prometer: "Eu fico quietinho! Juro que eu fico quietinho!". E, de fato, comportou-se, lá, relativamente bem. Na saída, virou-se para o coveiro, numa recomendação patética: "Trate direitinho da sepultura, que eu dou uma gratificação, ouviu?". Enfiou a mão no bolso, apanhou cem cruzeiros, que passou ao fulano:

— Pra uma cervejinha! Mas não se esqueça, sim?

A DOR

Encerrou-se na própria residência, disposto a viver em função de sua dor. Estava disposto a sofrer para o resto da vida. Encheu a casa de retratos da esposa. Segundo a maledicência jocosa da vizinhança, havia retratos até na cozinha. Os amigos e parentes, apreensivos, comentavam entre si: "Isso já é loucura!". Por outro lado, adotara um luto fechadíssimo. Ofendeu-se quando o sócio sugeriu, de boa-fé: "Põe fumo. Basta fumo. É mais moderno e não impressiona tanto". Recuou vários passos; enfureceu-se:

— Que negócio é esse de modernismo pra cima de mim? Tira o cavalo da chuva!

O outro quis argumentar:

— Mas vem cá, fulano, sou teu amigo, que diabo! Luto é uma coisa mórbida, doentia, desagradável!

Exultou, numa satisfação feroz:

— Pois que seja! Ótimo! Eu gosto de ser-mórbido, eu pago pra ser doentio!

O sócio saiu dali assombrado. Foi dizer para as relações comuns: "Quero ser mico de circo se o nosso Moacir não está meio lelé!". Permitiu-se, ainda, o comentário profético: "Vai acabar rasgando dinheiro!".

O SÓCIO

Chamava-se Escobar, o sócio. Podia não ser muito amigo do Moacir, mas havia, entre os dois, vínculos mais eficazes que os simplesmente afetivos: os interesses comuns. E verdade seja dita: o Moacir fazia uma falta imensa na firma. Ele era, no negócio, o gênio administrativo, ao passo que o Escobar contribuía com as idéias. Absorvido pela viuvez, ocupado em chorar a esposa, Moacir não tinha cabeça para pensar na vida prática. Com razão, o Escobar alarmou-se: "Assim não vai. Ou o Moacir volta, ou damos com os burros n'água!". Dedicou-se, então, a arrancar o sócio de suas pesadas atribulações. Todos os dias ia visitá-lo: "As coisas lá na firma estão calamitosas!". O outro, de barba crescida, olhos incandescentes, cabeleira, um vago ar de Monte Cristo, resmungava: "Não interessa!". Insistia o Escobar, escandalizado: "Como não? Você tem interesses, deveres, responsabilidades!". Desta vez, Moacir não respondia. Imergia numa ardente e fúnebre meditação. Era óbvio que seu pensamento pairava em alturas inimagináveis. E, súbito, sem a menor relação com os assuntos do amigo, empreendia a exaltação da mulher. Era taxativo: "Tu não imaginas, tu não podes fazer a mínima idéia! Era a melhor mulher do mundo!". Dramatizava:

— Qualquer outra não chegava aos pés da minha! Não era nem páreo pra minha! — E, pondo a mão no braço do Escobar, acrescentava: — Nunca mais, ouviste?, nunca mais quero nada com mulher nenhuma. Te juro! Te dou minha palavra de honra!

Escobar erguia-se, atônito:

— Toma jeito, Moacir! Nem tanto, nem tão pouco! Isso não é normal! Isso é contra a natureza!

Moacir, trêmulo, replicava:

9

— Pois eu quero que a normalidade e a natureza vão para os diabos que as carreguem!

Seu consolo, agora, era o mausoléu, à base de anjos, que mandara erguer para a falecida.

A IDÉIA

Passaram-se mais dois meses e o Moacir continuava imprestável. Escobar quebrava a cabeça: "Tenho que descobrir um jeito, um modo, uma maneira de salvar essa besta!". Como era sujeito fantasista, que se envaidecia das próprias idéias, acabou descobrindo uma solução. Convocou uma mesa-redonda de parentes do sócio. Avisou:

— O negócio está nesse pé: ou o Moacir vem trabalhar ou a firma vai direitinho para o beleléu. Vocês confiam em mim ou não?

A resposta foi reconfortante e unânime: "Confiamos". Escobar pigarreou, para clarear a voz: "Eu tive uma idéia que me parece genialíssima. Deve ser tiro e queda. E quero saber se vocês me autorizam, no escuro, a usar essa idéia. Autorizam?". Silêncio. Os parentes se entreolhavam. Um porta-voz indagou: "Podia-se saber que idéia é essa?". Respondeu o Escobar:

— Não. O segredo é a alma do negócio. E considero minha idéia boa demais para antecipá-la. Direi apenas que se trata de uma mentira. Mentira necessária e salvadora. Vocês me autorizam a mentir? Sim ou não?

Novo silêncio e nova manifestação do porta-voz: "Sim". Escobar esfregou as mãos, radiante: "Então vou mergulhar de cara".

A MENTIRA

Seguro de si, invadiu a casa do amigo e sentou-se a seu lado; entrou, como ele próprio diria depois, de sola: "Olha aqui, Moacir: teu problema é mulher, percebeste? Tens que arranjar, imediatamente, uma ou várias mulheres. Ou então, estás liquidado". O outro, que estava sentado, ergueu-se trêmulo: "Estás maluco? Doido?". Mas Escobar continuou num impressionante descaro, com a pergunta: "Topas uma farinha hoje? Conheço um lugar que tem um material de primeira. Olha! Cada pequena daqui!". Moacir disse, numa espécie de uivo: "Nunca!

Nunca!''. Chegara o grande momento. Escobar esmagou a brasa do cigarro no fundo do cinzeiro; dizia, sem desfitar o amigo: "Tu sabes que és meu, do peito, não sabes?''.

— Mais ou menos.

— Pois bem. Há uma coisa que tu precisas saber e que saberias mais dia menos dia. Vou te contar porque, enfim, não gosto de ver um amigo meu bancando o palhaço.

— Fala.

Escobar pousou a mão no ombro do sócio: "Tua mulher foi a São Paulo pra quê? Por causa de uma tia?''. E o próprio Escobar, exultante, respondeu: "Não! Pra ver o amante! Sim, o amante!''. Foi uma cena pavorosa. Quase, quase, o Moacir estrangula o amigo. Mas Escobar sustentou até o fim. Tornou sua mentira persuasiva, minuciosa, irresistível: "Eu mesmo vi os dois, juntos, em Copacabana...''. Decorara, ao acaso, o nome de um dos passageiros do mesmo avião e o repetia: "Vê, na lista, se não está lá, vê! Inventou o pretexto da tia para acompanhá-lo!''. Uma hora depois, Moacir arriava na cadeira, desmoronado; rosnava: "Cínica! Cínica!''. Em pé, vitorioso, Escobar perguntava: "Topas agora a farrinha? Topas?''. Ergueu-se, desvairado:

— Topo!

OS QUERUBINS

Foi, com o amigo, e já sem luta, ao lugar combinado, que era a casa de uma tal Geni. Saiu de lá, bêbado e quase carregado, ao amanhecer. No dia seguinte, sem dizer nada a ninguém dirigiu-se ao cemitério. Durante uns quinze minutos, ficou vendo os operários que trabalhavam no mausoléu da finada Arlete. Era um mausoléu caríssimo, baseado numa alegoria de querubins, coroando a pureza da morta. Súbito, teve o acesso. Apanhou a picareta mais próxima e investiu, num desvario, fendendo os querubins de mármore. Quando o dominaram, o chão estava cheio dos anjos mutilados. Foi arrastado; e vociferava:

— Não pago mais as outras prestações dessa droga! Não dou mais um tostão! — esganiçava a voz. — Minha mulher era uma cachorra!

O PEDIATRA

Saiu do telefone e anunciou para todo o escritório:
— Topou! Topou!
Foi envolvido, cercado por três ou quatro companheiros.
O Meireles cutuca:
— Batata?
Menezes abre o colarinho: — "Batatíssima!". Outro insiste:
— Vale? Justifica?
Fez um escândalo:
— Se vale? Se justifica? Ó rapaz! É a melhor mulher do Rio
de Janeiro! Casada e te digo mais: séria pra chuchu!
Alguém insinuou: — "Séria e trai o marido?". Então, o Me-
nezes improvisou um comício em defesa da bem-amada:
— Rapaz! Gosta de mim, entende? De mais a mais, escuta:
o marido é uma fera! O marido é uma besta!
Ao lado, o Meireles, impressionado, rosna:
— Você dá sorte com mulher! Como você nunca vi! — E
repetia, ralado de inveja: — Você tem uma estrela miserável!

O AMOR IMORTAL

Há três ou quatro semanas que o Menezes falava num novo
amor imortal. Contava, para os companheiros embasbacados:
— "Mulher de um pediatra, mas olha: — um colosso!". Queriam
saber: — "Topa ou não topa?". Esfregava as mãos, radiante:
— Estou dando em cima, salivando. Está indo.
Todas as manhãs, quando o Menezes pisava no escritório,
os companheiros o recebiam com a pergunta: — "E a cara?".
Tirando o paletó, feliz da vida, respondia:

— Está quase. Ontem, falamos no telefone quatro horas!

Os colegas pasmavam para esse desperdício: — "Isso não é mais cantada, é ...*E o vento levou*". Meireles sustentava o princípio que nem a Ava Gardner, nem a Cleópatra justificam quatro horas de telefone. Menezes protestava:

— Essa vale! Vale, sim senhor! Perfeitamente, vale! E, além disso, nunca fez isso! É de uma fidelidade mórbida! Compreendeu? Doentia!

E ele, que tinha filhos naturais em vários bairros do Rio de Janeiro, abandonara todos os outros casos e dava plena e total exclusividade à esposa do pediatra. Abria o coração no escritório:

— Sempre tive a tara da mulher séria! Só acho graça em mulher séria!

Finalmente, após quarenta e cinco dias de telefonemas desvairados, eis que a moça capitula. Toda a firma exulta. E o Menezes, passando o lenço no suor da testa, admitia: — "Custou, puxa vida! Nunca uma mulher me resistiu tanto!". E, súbito, o Menezes bate na testa:

— É mesmo! Está faltando um detalhe! O apartamento!

Agarra o Meireles pelo braço: — "Tu emprestas o teu?". O outro tem um repelão pânico:

— Você é besta, rapaz! Minha mãe mora lá! Sossega o periquito!

Mas o Menezes era teimoso. Argumenta:

— Escuta, escuta! Deixa eu falar. A moça é séria. Séria pra burro. Nunca vi tanta virtude na minha vida. E eu não posso levar para uma baiúca. Tem que ser, olha: — apartamento residencial e familiar. É um favor de mãe pra filho caçula.

O outro reagia: — "E minha mãe? Mora lá, rapaz!". Durante umas duas horas, pediu por tudo:

— Só essa vez. Faz o seguinte: — manda a tua mãe dar uma volta. Eu passo lá duas horas no máximo!

Tanto insistiu que, finalmente, o amigo bufa:

— Vá lá! Mas escuta: — pela primeira e última vez!

Aperta a mão do companheiro:

— És uma mãe!

DECISÃO

Pouco depois, Menezes ligava para o ser amado:

— Arranjei um apartamento genial.

Do outro lado, aflita, ela queria saber tudinho: "Mas é como, hein?". Febril de desejo, deu todas as explicações: — "Um edifício residencial, na rua Voluntários. Inclusive, mora lá a mãe de um amigo. Do apartamento, ouve-se a algazarra das crianças". Ela, que se chamava Ieda, suspira:

— Tenho medo! Tenho medo!

Ficou tudo combinado para o dia seguinte, às quatro da tarde. No escritório, perguntaram:

— E o pediatra?

Menezes chegou a tomar um susto. De tanto desejar a mulher, esquecera completamente o marido. E havia qualquer coisa de pungente, de tocante, na especialidade do traído, do enganado. Fosse médico de nariz e garganta, ou simplesmente de clínica geral, ou tisiólogo, vá lá. Mas pediatra! O próprio Menezes pensava: — "Enquanto o desgraçado trata de criancinhas, é passado pra trás!". E, por um momento, ele teve remorso de fazer aquele papel com um pediatra. Na manhã seguinte, com a conivência de todo o escritório, não foi ao trabalho. Os colegas fizeram apenas uma exigência: — que ele contasse tudo, todas as reações da moça. Ele queria se concentrar para a tarde de amor. Tomou, como diria mais tarde, textualmente, "um banho de Cleópatra". A mãe, que era uma santa, emprestou-lhe o perfume. Cerca do meio-dia, já pronto e de branco, cheiroso como um bebê, liga para o Meireles:

— Como é? Combinaste tudo com a velha?

— Combinei. Mamãe vai passar a tarde em Realengo.

Menezes trata de almoçar. "Preciso me alimentar bem", era o que pensava. Comeu e reforçou o almoço com uma gemada. Antes de sair de casa, ligou para Ieda:

— Meu amor, escuta. Vou pra lá.

E ela:

— Já?

Explica:

— Tenho que chegar primeiro. E olha: vou deixar a porta apenas encostada. Você chega e empurra. Não precisa bater. Basta empurrar.

Geme: — "Estou nervosíssima!".

E ele, com o coração aos pinotes:

— Um beijo bem molhado nesta boquinha.

— Pra ti também.

Às três e meia, ele estava no apartamento, fumando um cigarro atrás do outro. Às quatro, estava junto à porta, esperando. Ieda só apareceu às quatro e meia. Ela põe a bolsa em cima da mesa e vai explicando:

— Demorei porque meu marido se atrasou.

Menezes não entende: — "Teu marido?", e ela:

— Ele veio me trazer e se atrasou. Meu filho, vamos que eu não posso ficar mais de meia hora. Meu marido está lá embaixo, esperando.

Assombrado, puxa a pequena: — "Escuta aqui. Teu marido? Que negócio é esse? Está lá embaixo! Diz pra mim: — teu marido sabe?". Ela começou:

— Desabotoa aqui nas costas. Meu marido sabe, sim. Desabotoa. Sabe, claro.

Desatinado, apertava a cabeça entre as mãos: — "Não é possível! Não pode ser! Ou é piada tua?". Já impaciente, Ieda teve de levá-lo até a janela. Ele olha e vê, embaixo, obeso e careca, o pediatra. Desesperado, Menezes gagueja: — "Quer dizer que...". E, continua: "Olha aqui. Acho melhor a gente desistir. Melhor, entende? Não convém. Assim não quero".

Então, aquela moça bonita, de seio farto, estende a mão:

— Dois mil cruzeiros. É quanto cobra o meu marido. Meu marido é quem trata dos preços. Dois mil cruzeiros.

Menezes desatou a chorar.

COVARDIA

Durante meses, atracado ao telefone, pedia: — "Vem, querida, vem!". Rosinha, que era uma nervosa, uma irritada, tinha vontade de explodir:

— Escuta, Agenor! Pelo amor de Deus! Já não te disse, ah, criatura! Será quê. Escuta. Você não é capaz de um amor espiritual?

E o rapaz:

— Sou, mas... Uma coisa não impede a outra. Você é matéria e espírito. — E insistia: — Não é matéria e espírito?

Ela acabou perdendo a paciência:

— Você só pensa em sexo!

Agenor danou-se também:

— Minha filha, não fui eu que inventei o sexo. De mais a mais, escuta. O sexo pode ser sublime, entendeu? Sublime! Por que é que nós estamos no mundo? — E concluiu, triunfante: — Por causa do sexo!

Até que, um dia, Rosinha disse a última palavra:

— Não serve assim, paciência. O que você quer eu não posso dar. Sou casada e não está certo, não está direito. Nem meu marido merece.

Sentindo que a perdia, humilhou-se:

— Te juro. Olha. Nunca mais, está ouvindo? Nunca mais eu tocarei no assunto, juro.

Rosinha teve uma pena brusca desse rapaz que a amava tanto. Sorriu no telefone, como se Agenor pudesse vê-la. Disse com uma ternura triste:

— Olha. Amizade vale mais do que sexo.

Ela teria traído talvez um outro marido. Mas o Marcondes era um triste, um humilde, um desses mansos natos e hereditários. Já o pai (e possivelmente o avô) fora também um tipo singular, delicado e pungente, incapaz de uma irritação, de uma grosseria. Marcondes não lhe ficava atrás. Tinha adoração pela mulher. Olhava Rosinha de um jeito como se a lambesse com a vista. Ela gostava de Agenor, que era um íntimo da casa e não saía de lá. Desde o primeiro dia, porém, fora muito clara, muito leal:

— Gosto de você. Gosto. Não nego. Mas você acha que alguém pode trair o Marcondes? Não faz mal a ninguém.

O Agenor, apesar do seu despeito, de sua frustração, teve que admitir, textualmente, que o Marcondes era "um colibri". Mas como era um sujeito forte, de uma saúde tremenda, um apetite vital esmagador, doeu-lhe aquele amor sem esperança.

Quero crer que Rosinha jamais traísse o Marcondes. Um dia, porém, ocorre um desses episódios fatais. Eis o fato: — uma manhã, o padeiro bate na porta de Marcondes. Este acabara de sair. Rosinha atende e manda: — "Passa amanhã". O sujeito, um latagão insolente, pergunta, alto:

— Amanhã, uma conversa! Você paga ou não paga?

Enfureceu-se: — "Escuta aqui! Quando foi que eu lhe dei essa confiança de me chamar de você?". Com a sua vitalidade animal, o pescoço grosso e bovino, o sujeito ameaça: — "Não tem mais fiado!". E ela, fora de si: — "Seu moleque!". Defronte, uma vizinha apareceu na janela. Resposta do fulano: — "Moleque é a senhora!". Rosinha esganiçou-se:

— Patife! Se meu marido estivesse aqui, quebrava-lhe a cara!

O rapaz tem um riso farto:

— Logo mais eu volto! Quero ver seu marido me quebrar a cara, quero ver!

Deixou-a berrando e saiu, muito tranqüilo e muito cínico.

No emprego, Marcondes nem teve tempo de tirar o paletó. A mulher berrava no telefone: — "Fui agredida! Larga tudo e chispa!". Quando entra em casa, a mulher soluçava, cercada de vizinhas solidárias. Ao vê-lo, Rosinha atira-se nos seus braços: — "Oh, meu filho! Imagina!". Conta-lhe, tumultuosamente, tudo. E termina com a exigência histérica: — "Você vai me fazer um favor. Vai me dar um tiro nesse cachorro!". O Marcondes desprende-se, num repelão feroz:

— Tiro? Eu? Mas eu não sou de dar tiros! E tiro nunca foi solução! Brincadeira tem hora!

Um silêncio varre a sala. Rosinha olha em torno, espavorida. Vira-se para o marido: — "Você está com medo?". No seu pânico selvagem, ele ia responder: — "Medo é apelido". Mas havia estranhos. Conteve-se. E tiritava, varado de arrepios. Mas a pusilanimidade era tão evidente, tão confessa, que Rosinha não teve ânimo para mais nada. Vira-se para as vizinhas: — "Vocês me dão licença, sim?". As outras saíram, uma a uma. E quando Marcondes soube que o caixeiro voltaria, pulou na sala como um índio de filme: — "Eu não estou! Quando ele vier, eu não estou! Pra ninguém!". Rosinha olhava-o, sem uma palavra. De noite, quando bateram, ela teve um esgar maligno:

— Vai lá, anda, vai!

Marcondes ia correr para o quarto, trancar-se lá. Mas a vergonha o travou. Chegou a dar três ou quatro passos em direção da porta. Súbito, estaca, levando a mão ao estômago. Em seguida, retrocede. Rosinha o vê passar, correr para o banheiro, em náuseas medonhas. Ela vai ver quem é: — era alguém pedindo uma esmola. Disse: — "Deus o favoreça". Volta e não vacilou mais: — liga para o Agenor. Enquanto o marido tem o vômito do medo, ela está no telefone dizendo:

— Mudei de opinião. Vou, sim. Onde é? Deixa eu apanhar um lápis.

FATALIDADE

O marido sai do banheiro, arquejante. Balbucia: — "Era o cara?". Soube que não. Desaba na cadeira. Faz o comentário lúgubre: — "Eu devia aprender jiu-jítsu". Passou. No dia seguinte, ela nem almoçou. Tomou um banho, perfumou o corpo, pôs talco nos pés. Espia debaixo do braço. E teve o cuidado de passar gilete. Por fim, olhou-se no espelho: — estava linda para o pecado. Uma hora depois, saltava na esquina de Viveiros de Castro. Pára um momento, diante de uma casa, para ver a numeração. Súbito, ouve uma voz alegre:

— Por aqui, dona Rosinha?

Volta-se, aterrada. Era o dr. Eustáquio, um amigo da família e advogado da prefeitura. Com quarenta e oito anos, bem-posto, uma polidez impecabilíssima, ele inclinava-se diante da moça. Rosinha mentiu, desesperada: — "Estou aqui esperando uma amiga. Marcamos um encontro e...". Dr. Eustáquio foi esplêndido:

— Eu faço companhia até sua amiga chegar.

Olhou-o com terror. Diz, quase sem voz: "Não precisa se incomodar". O outro curvou-se vivamente: "Pelo contrário. É um prazer". E repetia, em tom profundo, com uma cintilação no olhar: — "Um prazer". Ela pensava: — "Chato!". E sua vontade era chorar. Imediatamente, o dr. Eustáquio, que ganhava setenta e dois contos na prefeitura, fez-lhe a pergunta:

— A minha amiga tem lido o Drummond, o Carlos Drummond de Andrade? O poeta! Pois é. A gente vive aprendendo. O Drummond é contra Brasília. Mete o pau em Brasília. Acompanhe o meu raciocínio. Se o Drummond não aceita Brasília, é um falso grande poeta. Não lhe parece? A senhora admitiria um Camões que não aceitasse o mar? Um Camões que, diante do mar, perguntasse: — "Pra que tanta água?". Pois, minha senhora, creia. Recusando Brasília, o Carlos Drummond revela-se um Camões de piscina ou nem isso: — um Camões de bacia!

Desatinada, Rosinha via o tempo passar. O dr. Eustáquio fazia-lhe outra pergunta amável: — "Gosta de poesia?". Quase chorando, diz: — "O Araújo Jorge aprecio". E odiava aquele velho de unhas bem tratadas, cheiroso, sempre com o ar de quem lavou o rosto há dez minutos. Quis enxotá-lo: — "O senhor não faça cerimônia". Com uma polidez grave e irredutível, atalha: — "Disponho de tempo". Com fina malícia, acrescenta: — "Hoje não fui lá. Matei o serviço". De resto, era de opinião que o Estado existe para isso mesmo, ou seja, para subvencionar "gazeta" dos funcionários inteligentes. Esperaram, ali, dez, vinte, trinta, quarenta minutos. O dr. Eustáquio não parava; e estava dizendo: — "Nós tivemos um Homero. O Jorge de Lima. Morreu. Brasília está lá, profetizada, em 'Invenção de Orfeu'". Subitamente, Rosinha corta:

— Minha amiga não vem mais. Vou-me embora.

Imaginava desfazer-se daquela companhia abominável, saltar adiante e voltar. Mas ele foi admirável: — "Levo-a em casa! Levo-a em casa!". Rosinha sentiu que era inútil. Pensa, no seu ódio: — "Esse palhaço não me larga!". Veio de Copacabana a Aldeia Campista com aquele homem ao lado. Ele dizia: — "Lá na procuradoria, temos um talento: — o Otto Lara Resende". Ouvia só, atônita. Dr. Eustáquio deixou-a na porta de casa. Despedia-se: — "Recomendações! Recomendações!".

Rosinha entra. Apanhando o lotação, dr. Eustáquio concluía: — "Linda rapariga! Linda!". De noite, o marido chega. Ela o agarra: — "Tu gostas de tua gatinha, gostas?". Ofereceu ao marido toda a frenética voluptuosidade que não pudera dar ao quase amante.

BANHO DE NOIVA

Vinte e quatro horas antes do casamento, Detinha suspira:
— Meu filho, posso te fazer uma pergunta?

Peçanha (Antônio Peçanha), que estava limando as unhas com um pau de fósforo, boceja: — "Mete lá". E ela:
— Quantos banhos tu tomas?

Admirou-se:
— Por quê?

E ela:
— Responde. Quantos banhos tu tomas por dia?
— Um, ora essa!
— Só?

Peçanha caiu das nuvens:
— Tu achas pouco?

Admitiu, lânguida:
— Acho.

O BANHO

Peçanha vira-se, entre surpreso e divertido: — "Estás falando sério?". Insiste: — "Por que não?". O rapaz ergue-se: — "Mas que piada infeliz!". Detinha continuou:
— Sei que, de uma maneira geral, todo mundo toma um banho só. Mas eu não vou atrás de conversa, não. Tomo dois, no mínimo. Quando faz calor, três. Até quatro. Não tolero cheiro de suor, nem em mim, nem nos outros. Palavra de honra!

O noivo bufa:
— Quatro banhos?

Confirmou:

— Sim senhor: — quatro. Num clima como o nosso, um banho é pouco. Não dá.

Ele explodiu:

— Ora, Detinha! Tira o cavalo da chuva! Tu achas, talvez, que eu vou passar o dia todo, as vinte e quatro horas do dia, debaixo do chuveiro? Achas que eu não tenho mais nada que fazer senão tomar banho? Gozado!

A pequena ia replicar, quando foi chamada na cozinha. Deixa o noivo na varanda e atende. Peçanha, ainda impressionado, prague ja, interiormente:

— Ora pipocas!

O NOIVADO

A casa estava cheia de gente, sobretudo de mulheres. Até uma tia do Realengo, que a família supunha morta e enterrada, reapareceu, sensacionalmente. Velha solteirona, meio estrábica, viera farejar, na sobrinha, a felicidade que a vida lhe negara. Pois bem. Detinha entra e, com pouco mais, volta atarantada: — "Meu filho, vai, ouviu, vai que eu tenho o que fazer, sim?". Beijou-a, de leve, numa das faces; e grita, para dentro, numa saudação coletiva:

— Bye-bye!

Veio a resposta, num alarido de mulheres:

— Bye-bye!

Partiu Peçanha, com uma sensação, uma vaga e desconfortável sensação de escorraçado.

IDÉIA FIXA

A caminho do poste de ônibus, Peçanha veio pensando no que ele próprio chamava o "palpite indigesto" de Detinha. Julgara perceber, nas palavras da noiva, uma insinuação extremamente desagradável. De si para si, indagou: — "Será que eu cheiro mal?". E suspira: — "Ora veja!". Horas depois, no quarto, não conseguia dormir, aflitíssimo. Só às quatro da manhã é que, finalmente, fechou os olhos e todas as suas incertezas se apaziguaram num sono realmente profundo. Acordou às sete horas, com a alegre exclamação: — "É hoje! Hoje!". Meteu-se debaixo do chuveiro, tomou um banho minucioso, um banho implacável, um banho de casamento. Antes, escovara os dentes com energia, quase com desespero; e só parou quando sentiu as gengivas feridas. Em seguida, pôs perfume, talco, o diabo. Desceu, na euforia do próprio asseio. Veio perguntar:

— Que tal o meu hálito, mamãe? Vê que tal?

Soprou-lhe no rosto. A mãe, que era uma emotiva, uma sentimental, disse, já com vontade de chorar:

— Ótimo. E Deus te abençoe, meu filho, Deus te abençoe!

Pouco depois, ele estava tomando uma gemada reconstituinte. A emoção nupcial, em vez de lhe diminuir, aumentava o apetite. Antes de ligar o telefone para a noiva, indaga da mãe: — "Eu quero que a senhora me responda, com sinceridade: — alguma vez a senhora observou que eu cheirasse mal? Fala a verdade, mamãe!". Ela foi taxativa: — "Nunca!". Mais animado, Peçanha discou para a pequena. Depois do bom-dia recíproco, Detinha quer saber:

— Já tomaste banho?

Protesta no telefone:

— Será o Benedito? Isso é idéia fixa ou que diabo é? Que graça!

Ela pergunta: — "Você se ofendeu? Tipo da pergunta natural!". Passou. Só ao meio-dia houve a cerimônia civil. Eram, enfim, marido e mulher para todos os efeitos. Quando saíram, com o acompanhamento das duas famílias e de amigos mais íntimos, Detinha aproveita a primeira oportunidade para soprar-lhe ao ouvido:

— Vai para casa tomar banho, ouviu? — insiste, baixo, quase sem mover os lábios. — Quero te ver cheiroso, bem cheiroso!

— Sossega, leoa!

APAIXONADO

Peçanha correu de táxi para casa, a fim de se preparar para o casamento religioso. Levava, porém, uma surda irritação. Era provável que a idéia de um novo banho lhe ocorresse, espontaneamente. Mas doía-lhe que a noiva quisesse ditar-lhe normas de higiene. Estava tão descontente que fez o seguinte: — sacrificou, por uma espécie de pirraça, o banho proposto. Limitou-se a esfregar álcool debaixo do braço e a repassar uma nova mão de talco. Todavia, quando, horas depois, toma o automóvel com destino à igreja, ocorreu-lhe uma reflexão incômoda: — "Será que eu estou cheirando a suor?''. Felizmente, não tardou que chegasse à igreja. E, então, tudo se diluiu no esplendor da cerimônia. A noiva, num vestido maravilhoso, era, sem dúvida, uma doce imagem inesquecível. O que ocorreu, depois, não pode ser descrito. Quando Peçanha deu acordo de si, estava no feérico automóvel, ao lado da noiva. Sôfrego, baixa a voz para Detinha:

— Meu anjo, vê se capricha na pressa, ouviu? — Repetia, transpirando de carinho e impaciência: — Vê se caímos fora cedo!

Detinha não respondeu, como se estivesse imersa num sonho definitivo. Até chegar à casa dos pais, só abriu a boca uma vez, uma única vez, para perguntar: — ''Tomaste dois banhos hoje?''. Peçanha toma um susto:

— Mas que idéia você faz de mim? Espera lá!

PRIMEIRA NOITE

Na casa dos sogros, Peçanha, discretamente, instiga a noiva: — ''Chispa! Chispa!''. Sua impaciência de amoroso já estava dando na vista e suscitando alegres comentários. Para evitar as despedidas demoradas, saíram pelos fundos; Detinha experimentou uma deliciosa sensação de fuga, de rapto. O automóvel que os levou para o hotel de montanha fez toda a viagem numa velocidade macia, quase imperceptível. Rapidamente chegam lá, sobem, agarradíssimos, para o apartamento já reservado. Entram, e Peçanha, ofegante, com o olho rútilo, torce a chave. Quer agarrá-la, mas ela se desprende, com inesperada agilidade. Ele pergunta: — ''Que é isso?''. Ela responde: — ''Primeiro, vou tomar banho. Faço questão absoluta''. Ele pediu, rogou, suplicou, a morrer de paixão. Encontrou-a, porém, irredutível. Disse a última palavra: — ''Ou você não percebe que este é um momento em que a mulher precisa estar cem por cento?''. Teve que capitular. Com um sentimento de frustração, deixou o quarto. Ficou, cá fora, no corredor, fumando um cigarro atrás do outro. Enquanto isso a mulher tomava o seu banho demorado, um banho de Cleópatra. Após uns quarenta e cinco minutos de espera, ela entreabriu a porta: — ''Meu bem?''. Arremessou-se, num desvario. Novamente, ela o detém: — ''Calma, calma!''.

Recuou, atônito:

— Calma por quê?

E ela, doce, mas irredutível:

— Já tomei o meu banho. Agora é tua vez.

Quis reagir:

— Ora, Detinha! Que banho? Parece criança! Vem cá, anda, vem cá!

Quer segurá-la. Novamente, ela se desprende. Some do seu rosto a expressão de doçura. Trinca os dentes: — "Das duas uma: — ou você toma banho ou não toca em mim!". Peçanha abriu os braços:

— Você está insinuando o quê? Que eu não tomei banho? Tem nojo de mim? Fala! Tem nojo?

Há, entre os dois, uma mesinha, que a protege. Silêncio. Peçanha insiste, já com os olhos marejados:

— Não me custaria tomar um banho, claro. Mas você não vê que é humilhante para mim? Se eu tomar banho, fica parecendo o quê? Que eu sou um sujo, um sebento, um sujeito que cheira mal. Ouviu, meu anjo? — Baixa a voz: — Há certos papéis que um marido não pode fazer! — Pausa e pede: — Agora, um beijo!

Ela recua:

— Não! Primeiro, o banho! Ou banho ou nada feito!

Diante da mulher, que faz da mesinha uma pequena barricada, o marido implora ainda. E Detinha, nada. Por um momento, o pobre-diabo olha na direção do banheiro, disposto talvez a transigir. Mas dá nele, súbito, uma dessas fúrias terríveis. Persegue-a dentro do quarto; chega a agarrá-la. Mas ela se desvencilha outra vez, abre a porta e foge, pelo corredor, gritando. Hóspedes e funcionários do hotel acodem. Então, soluçando, ela aponta para o marido:

— É um porco! Casei-me com um porco! Tirem esse porco daqui!

CASAL DE TRÊS

O sogro era um santo e patusco cidadão. Assim que o viu arremessou-se, de braços abertos:

— Como vai essa figura? Bem?

Filadelfo abraçou e deixou-se abraçar. E rosnou, lúgubre:

— Essa figura vai mal.

Espanto do sogro:

— Por que, carambolas? — E insistia: — Vai mal por quê?

Caminhando pela calçada, lado a lado com o velho bom e barrigudo, Filadelfo foi enumerando as suas provações, só comparáveis às de Job:

— É o gênio de sua filha. Sou desacatado, a três por dois. Qualquer dia apanho na cara!

Dr. Magarão assentiu, grave e consternado:

— Compreendo, compreendo. — Suspira, admitindo: — Puxou à mãe. Gênio igualzinho. A mãe também é assim!

Súbito, Filadelfo estaca. Põe a mão no ombro do outro; interpela-o:

— Quero que o senhor me responda o seguinte: isso está certo? É direito?

O velho engasga:

— Bem. Direito, propriamente, não sei. — Medita e pergunta: — Você quer uma opinião sincera? Batata? Quer?

— Quero.

E o sogro:

— Então, vamos tomar qualquer coisa ali adiante. Vou te dizer umas coisas que todo homem casado devia saber.

Entram num pequeno bar, ocupam uma mesa discreta. Enquanto o garçon vai e vem, com uma cerveja e dois copos, dr. Magarão comenta:

— Você sabe que eu sou casado, claro. Muito bem. E, além da minha experiência, vejo a dos outros. Descobri que toda mulher honesta é assim mesmo.

Espanto de Filadelfo:

— Assim como?

O gordo continua:

— Como minha filha. Sem tirar, nem pôr. Você, meu caro, desconfie da esposa amável, da esposa cordial, gentil. A virtude é triste, azeda e neurastênica.

Filadelfo recua na cadeira:

— Tem dó! Essa não! — E repetia, de olhos esbugalhados, lambendo a espuma da cerveja: — Essa, não!

Mas o sogro insistiu. Pergunta:

— Sabe qual foi a esposa mais amável que eu já vi na minha vida? Sabe? Foi uma que traía o marido com a metade do Rio de Janeiro, inclusive comigo! — Espalmou a mão no próprio peito, numa feroz satisfação retrospectiva: — Também comigo! E tratava o marido assim, na palma da mão!

Uma hora depois, saíam os dois do pequeno bar. Dr. Magarão, com sua barriga de ópera-bufa e bêbado, trovejava:

— Você deve se dar por muito satisfeito! Deve lamber os dedos! Dar graças a Deus!

O genro, com as pernas bambas, o olho injetado, resmunga:

— Vou tratar disso!

O DESGRAÇADO

Não mentira ao sogro. Sua vida conjugal era, de fato, de uma melancolia tremenda. Descontado o período da lua-de-mel, que ele estimava em oito dias, nunca mais fora bem tratado. Sofria as mais graves desconsiderações, inclusive na frente de visitas. E, certa vez, durante um jantar com outras pessoas, ela o fulmina, com a seguinte observação, em voz altíssima:

— Vê se pára de mastigar a dentadura, sim?

Houve um constrangimento universal. O pobre do marido, assim desfeiteado, só faltou atirar-se pela janela mais próxima. Após três anos de experiência matrimonial, ele já não esperava mais nada da mulher, senão outros desacatos. E só não compreendia que Jupira, amabilíssima com todo mundo, fizesse uma exceção para ele, que era, justamente, o marido. Depois de ter deixado o sogro, voltou para casa desesperado. Chega, abre a porta, sobe a escada e quando entra no quarto recebe a intimação:

— Não acende a luz!

Obedeceu. Tirou a roupa no escuro e, depois, andou caçando o pijama, como um cego. E quando, afinal, pôde deitar-se, fez uma reflexão melancólica: há dez meses ou mesmo um ano que o beijo na boca fora suprimido entre os dois. O máximo que ele, intimidado, se permitia, era roçar com os lábios a face da esposa. Se queria ser carinhoso demais, ela o desiludia: "Na boca não! Não quero!". Outra coisa que o amargurava era o seguinte: a negligência da mulher no lar. Não se enfeitava, não se perfumava. Deitado ao seu lado, ele pensava agora, lembrando-se da teoria do sogro: — "Será que a esposa honesta também precisa cheirar mal?".

MUDANÇA

Um mês depois, ele chega em casa, do trabalho, e acontece uma coisa sem precedentes: a mulher, pintada, perfumada, se atira nos seus braços. Foi uma surpresa tão violenta que Filadelfo perde o equilíbrio e quase cai. Em seguida, ela aperta entre as mãos o seu rosto e o beija na boca, num arrebatamento de namorada, de noiva ou de esposa em lua-de-mel. Ele apanha o jornal, que deixara cair. Maravilhado, pergunta:

— Mas que é isso? Que foi que houve?

Jupira responde com outra pergunta:

— Não gostou?

Ele senta, confuso:

— Gostar, gostei, mas... — Ri: — Você não é assim, você não me beija nunca.

Jupira tem um gesto de uma petulância que o delicia: vem sentar-se no seu colo, encosta o rosto no dele. Filadelfo é acariciado. Acaba perguntando:

— Explica este mistério. Aconteceu alguma coisa. Aconteceu?

Ela suspira:

— Mudei, ora!

A princípio, Filadelfo conjeturou: "É hoje só". No dia seguinte, porém, houve a mesma coisa. Ele coçava a cabeça: "Aqui há dente de coelho!". Coincidiu que, por essa ocasião, os seus sogros aparecessem para jantar. Dr. Magarão, enquanto a mulher conversava com a filha, levou o genro para a janela: "Como é? Como vai o negócio aqui?".

Filadelfo exclama:

— Estou besta! Estou com a minha cara no chão!

O velho empina a barriga de ópera-bufa:

— Por quê?

E o genro.

— Tivemos aquela conversa. Pois bem. Jupira mudou. Está uma seda; e me trata que só o senhor vendo!

Ao lado, mascando o charuto apagado, o velho balança a cabeça:

— Ótimo!

— O negócio está tão bom, tão gostoso, que eu já começo a desconfiar!

O sogro põe-lhe as duas mãos nos ombros:

— Queres um conselho? De mãe pra filho? Não desconfia de nada, rapaz. Te custa ser cego? Olha! O marido não deve ser o último a saber, compreendeu? O marido não deve saber nunca!

LUA-DE-MEL

Seguindo a sugestão do sogro, ele não quis investigar as causas da mudança da esposa. Tratou de extrair o máximo possível da situação, tanto mais que passara a viver num regime de lua-de-mel. Dias depois, porém, recebe uma minuciosíssima carta anônima, com dados, nomes, endereços, duma imensa verossimilhança. O missivista desconhecido começava assim: "Tua mulher e o Cunha...". O Cunha era, talvez, o seu maior amigo e jantava três vezes por semana ou, no mínimo, duas, com o casal. A carta anônima dava até o número do edifício e o andar do apartamento em Copacabana onde os amantes se encontravam. Filadelfo lê aquilo, relê e rasga, em mil pedacinhos, o papel indecoroso. Pensa no Cunha, que é solteiro, simpático, quase bonito e tem bons dentes. Uma conclusão se impõe: sua felicidade conjugal, na última fase, é feita à base do Cunha. Filadelfo continuou sua vida, sem se dar por achado, tanto mais que Jupira revivia, agora, os momentos áureos da lua-de-mel. Certa vez jantavam os três, quando cai o guardanapo de Filadelfo. Este abaixa-se para apanhar e vê, insofismavelmente, debaixo da mesa, os pés da mulher e do Cunha, numa fusão nupcial, uns por cima dos outros. Passa-se o tempo e Filadelfo recebe a notícia: o Cunha ficara noivo! Vai para casa, preocupadíssimo. E, lá, encontra a mulher de bruços, na cama, aos soluços. Num desespero obtuso, ela diz e repete:

— Eu quero morrer! Eu quero morrer!

Filadelfo olhou só: não fez nenhum comentário. Vai numa gaveta, apanha o revólver e sai à procura do outro. Quando o encontra, cria o dilema:

— Ou você desmancha esse noivado ou dou-lhe um tiro na boca, seu cachorro!

No dia seguinte, o apavorado Cunha escreve uma carta ao futuro sogro, dando o dito por não dito. À noite, comparecia, escabreado, para jantar com o casal. E, então, à mesa, Filadelfo vira-se para o amigo e decide:

— Você, agora, vem jantar aqui todas as noites!

Quando o Cunha saiu, passada a meia-noite, Jupira atira-se nos braços do marido:

— Você é um amor!

PARA SEMPRE FIEL

Vira-se para uma pequena:

— Quer saber de uma coisa?

E ela:

— Quero.

Estavam tomando refrigerante, com um canudinho, num bar da Quinta da Boa Vista, ao ar livre. E, então, meio sério, meio brincando, ele baixa a voz:

— Não acredito que você goste de mim.

Admirou-se:

— Sério?

— Palavra de honra!

— Por quê?

Puxa um cigarro:

— Porque não acredito em mulher nenhuma, compreendeu? Olha: eu tive, até agora, digamos, umas dez namoradas. Dez ou doze ou treze. Muito bem. Todas, absolutamente todas, sem exceção, me passaram pra trás. Às vezes eu penso que minha sina, minha vocação é ser traído.

Impressionada, Odaléia mexeu com o canudinho no fundo do copo vazio. Ergue o rosto:

— Posso falar?

— Claro!

Por cima da mesa, ela apanha a mão do namorado:

— Não há no mundo um amor que se compare ao meu. Você é meu primeiro amor e será o último!

31

Saíram da Quinta da Boa Vista mais enamorados do que nunca. No ponto do bonde, Odaléia, comovida da cabeça aos pés, pergunta:

— E agora? Você acredita em mim? Acredita no meu amor?

Respira fundo:

— Acredito.

Quando Odaléia chegou em casa, a mãe aparece na porta da cozinha, com um prato e um pano de enxugar: "Como é? Tudo bem?". A garota põe a bolsa em cima da mesa e suspira:

— Mamãe, parece que o negócio engrenou.

A velha quis saber:

— Falou em casamento?

E a filha:

— Falou, mamãe, pela primeira vez. Ah, mamãe, eu sou a mulher mais feliz do mundo!

— Deus te abençoe, minha filha, Deus te abençoe!

No dia seguinte, encontraram-se novamente. Mas a euforia de Odilon extinguira-se até o último vestígio. Taciturno, um jeito cruel na boca, quase não falava. Súbito, Odaléia: "O que é que há? Está aborrecido?". Encaram-se. Odilon baixa a vista:

— Você pode achar que é complexo, mas o fato é o seguinte: eu não acredito em você. Não consigo acreditar. Pergunto: você acha que eu posso me casar, sabendo que vou ser traído?

Ergueu-se, atônita:

— Mas assim você até ofende!

Odilon levanta-se também. Pisa o cigarro no chão; e ri, amargo:

— Viu? Você já está ofendida! E a mulher que ama no duro, que ama batata, começa por não ter amor-próprio. Com amor-próprio não há amor!

Odaléia agarra-se ao namorado:

— Você quer que eu faça o que para provar o meu amor? Eu faço o que você quiser!

PROVA DE AMOR

Separaram-se, tristíssimos. Antes de largar a pequena no ônibus, ele dissera: "Quer um conselho meu? Quer? Então, ouça". Suspira e continua:

— Você deve me chutar enquanto é tempo. Eu não interesso nem a você, nem a mulher nenhuma. Agora mesmo, neste momento, eu estou pensando que você há de me trair um dia. Isso deve ser doença. Eu sou um doente mental. — Num esgar de choro, pede: — Arranja outro namorado, arranja um sujeito que acredite em ti!

Responde, chorando:

— E se eu provar que te amo? Se eu provar que te serei fiel, até morrer?

Ele balança a cabeça:

— Provar como? Você pode jurar pelo futuro? Hoje você gosta de mim. Muito bem. E amanhã? Gostará ainda?

— Evidente! Eu não mudo!

Odilon segura a pequena pelos dois braços:

— Foge de mim! Eu sou um caso perdido, completamente perdido!

Vinha chegando o ônibus. Odaléia queria ficar ainda, mas ele insistiu: "Vai, vai! Amanhã conversaremos!". Ela entrou no ônibus. Da janelinha, dava adeus.

TRISTEZA

A mãe, que era uma senhora gorda e cheia de varizes, acompanhava, passo a passo, aquele romance. Viu a filha chegar chorando e tomou um susto: "Mas o que foi que houve?". Pela primeira vez, Odaléia contou o romance inteirinho, inclusive com os detalhes que vinha omitindo. A velha pôs as mãos na cabeça:

— Mas esse homem é maluco, minha filha!

Odaléia assoou-se no lencinho:

— Não sei, nem interessa, mamãe. O fato é que gosto dele e pronto!

— Ora veja!

A pequena continuava:

— Já pensou como Odilon deve sofrer? Imagine um homem que não acredita em mulher nenhuma. Deve ser tristíssimo. E eu tenho de arranjar um jeito, um meio de provar que eu serei fiel sempre, que serei fiel até morrer, que eu não trairei nunca! E provarei.

Ainda se viram três ou quatro vezes. Foram encontros penosíssimos; ele a atormentava, sem dó nem piedade: "Quando me trairás? Quando?". Odaléia, que o amava muito, que o amava cada vez mais, respondia:

— Guarda as minhas palavras. Ainda hei de provar que nunca, nunca trairei você!

E ele:

— Duvido!

Cessaram os encontros. Quinze dias depois, Odilon, numa amargura tremenda, faz os seus cálculos: "No mínimo, arranjou outro e deve andar se esbaldando por aí!". Uma manhã, porém, aparece, esbaforido, na casa de Odilon, um amigo. Diz-lhe: "Corre, rapaz, corre, que tua pequena está morrendo!". Vestiu-se às pressas e voou para a casa da garota. E, lá, soube de tudo: Odaléia matara-se durante a noite, tomando não sei que veneno. Varando os grupos de parentes e vizinhos, Odilon chega ao quarto da pequena. Espia da porta o cadáver na cama. Entra, dá dois passos no interior do quarto e estaca. Via, na parede, o que Odaléia escrevera a lápis, antes de morrer. Eram estas palavras: "As mortas não traem". Apavorado, Odilon cai de joelhos, diante da cama. Apanha a mão da mulher que seria para sempre fiel e a cobre de beijos e lágrimas.

A MULHER DO PRÓXIMO

Apareceu na sinuca e fez a pergunta:

— Vocês viram a besta do Gouveia?

Um sujeito, de maus dentes, que passava giz no taco, respondeu:

— Não vejo o Gouveia há trezentos anos!

Mas um outro, que vinha chegando, indaga:

— Hoje não é sexta-feira? — E insistiu: — Sexta-feira é o dia em que ele se encontra com a mulher do despachante.

Então, Arlindo, que também era despachante, teve que admitir: — "É mesmo! É mesmo!". E, de fato, às sextas-feiras, o Gouveia era uma figura impraticável. Desaparecia, sem deixar vestígios. Mas os amigos, os íntimos, sabiam que ele estava em alguma parte do Distrito Federal, às voltas com uma trintona que, segundo ele próprio, era a sua mais recente paixão imortal. Esse único e escasso encontro semanal era sagrado para o Gouveia. Largava negócios, largava compromissos, largava outras mulheres, para se meter num apartamento, em Copacabana, que um amigo lhe emprestava, ou, antes, que um amigo alugava, numa base de duzentos cruzeiros por vez. Mas como era um big apartamento, com geladeira, vitrola, banho frio e quente, vista para o mar, o Gouveia reconhecia:

— Vale as duzentas pratas e até mais!

Arlindo saiu da sinuca, furioso: — "Ora pinóia!". Fez os seus cálculos: o romance do Gouveia com a mulher do despachante começava, às sextas-feiras, às quatro da tarde. Mas a partir das sete da manhã o Gouveia já não atendia nem telefone, a pretexto de que o amor exige uma concentração prévia e total. Conclusão: só reaparecia, para o mundo, às onze da noite, meia-noite. Cercado de amigos, costumava dizer:

— Vocês não se admirem se, qualquer dia, eu sair do apartamento de rabecão!

Naquela sexta-feira, o Arlindo tinha que resolver um assunto urgente com o Gouveia; e dramatizava: — "Assunto de vida e de morte!". Mas o fato é que teve de esperar que o tempo passasse. Às onze da noite, aparece na sinuca. Mais dez, quinze minutos, surge o Gouveia. Arlindo atira-se:

— Até que enfim, puxa! Vamos conversar, vamos bater um papo!

Gouveia, cansado, bocejando e com sono, queria sentar-se, queria conversar tomando cerveja. E, então, caminhando pela calçada, lado a lado com o amigo, Arlindo começou:

— Responde: tens confiança em mim?

Admirou-se:

— Por quê?

— Tens?

— Tenho, claro.

Pararam na esquina. Arlindo puxa um cigarro e o acende. Atira fora o palito de fósforo e continua:

— Bem. Se tens confiança, tu vais me dizer o seguinte: quem é essa mulher do despachante? Chama-se como? Eu conheço? Fala! Tu nunca me escondeste nada! Quero saber, ou por outra: — preciso saber.

Pausa. Finalmente, o Gouveia balança a cabeça:

— Tem santíssima paciência, mas não abro a boca para falar dessa senhora. É um caso sério, muito sério, que pode dar em tiro, morte, o diabo. Desculpa, mas esse negócio de identidade é espeto.

Arlindo respira fundo:

— Quer dizer que você não diz?

E o outro, firme:

— Não.

Arlindo põe-lhe a mão no ombro:

— Já que você não fala, falo eu. Tua distinção é inútil. Eu conheço, eu sei quem é essa cavalheira.

— Sabe?

— Sei. Perfeitamente. Sei.

Nova pausa. Gouveia arriscou:

— Quem é?

E o outro, baixo, sem desfitá-lo:

— Minha mulher. Sim senhor, minha mulher, sim.

Gouveia recua, lívido:

— Não, não!

Mas já o outro, rápido, o agarra pela gola. Na sua cólera contida, continua:

— Ontem, dormindo, ela falou num nome. Era o teu. Fui beijado como se fosse você. Então, descobri que a tal mulher do despachante era a minha. E que o despachante sou eu.

Lívido, Gouveia nega:

— Juro! — E repetia: Juro!

Quis desprender-se, num repelão selvagem. Mas o outro, muito mais forte, o subjugou, com uma facilidade apavorante. E, súbito, Gouveia começou a chorar. Pedia: — "Não me mate! Não me mate!". Arlindo larga-o:

— Olha, seu cachorro: não vou matar ninguém, nem a ti, nem a ela. Gosto demais de minha mulher. E gosto tanto que não te mato para que ela não sofra. Mas quero que saibas o seguinte. — Pausa e pergunta: — Estás ouvindo?

Soluçou:

— Sim.

E Arlindo:

— Minha vingança é a seguinte: daqui por diante, sempre que te encontrar, seja onde for, eu te cuspirei na cara. Vai começar agora!

Era tarde e a rua estava deserta. Foi uma cena sem testemunhas: — como um hipnotizado, Gouveia não esboçou um movimento de fuga, nada. E, até, instintivamente, ergueu o rosto, pareceu oferecer o rosto. Viu Arlindo afastar-se tranqüilo e realizado, e ficou em pé, na esquina, com a saliva alheia a pender-lhe da face, elástica e hedionda. Finalmente, apanhou o lenço fino, caro e perfumado que usava às sextas-feiras para o encontro com a esposa do outro; e enxugou aquilo. Saiu dali desvairado. Perguntava a si mesmo: — "E agora? E agora?". O que havia, no mais profundo de si mesmo, era a certeza de que o outro havia de persegui-lo, a cusparadas, até a consumação dos séculos. Nessa noite, não conseguiu dormir. De manhã, com o olho rútilo, o lábio trêmulo, recorreu a amigos comuns. Contava o episódio e pedia conselhos. Um, genioso, foi taxativo:

— Se um sujeito me cuspisse na cara, eu dava-lhe um tiro na boca!

Gouveia replicava:

— Mas eu lhe tomei a mulher! Tu não compreendes? Eu lhe tomei a mulher!

E o amigo:

— E daí? Tu não és o primeiro, nem serás o último a dar em cima da mulher do próximo! Ninguém é perfeito, carambolas, ninguém é perfeito!

De todos os conselhos recebidos, o mais ponderado foi o de um tio de Gouveia. Eis o que sugeriu o velho: "Emigra, rapaz! Vai pra China, pra Cochinchina! Se não tens coragem de reagir, de partir-lhe a cara, a solução é emigrar!".

Bem que gostaria de fugir, desaparecer. Mas era um fascinado, um hipnotizado. Sempre que via o inimigo, plantava-se no meio da rua e o impulso de fuga morria nas profundezas do seu ser. O outro vinha e, publicamente, cuspia-lhe na face, sem que o Gouveia, ao menos, baixasse a cabeça desviando o rosto. Já andava com um lenço especial, um lenço sobressalente para enxugar as cusparadas. Mas o pior foi no velório de um amigo comum: Arlindo apareceu e, sem o menor respeito pelo local, veio vindo na sua direção. Gouveia ainda balbuciou o apelo:

— Aqui, não! Aqui, não!

Mas o Arlindo, implacável, cuspiu-lhe ainda uma vez. Era demais. Alucinado, Gouveia correu de lá. Mais tarde, em casa, meteu uma bala nos miolos.

DELICADO

Primeiro, o casal teve sete filhas! O pai, que se chamava Macário, coçava a cabeça, numa exclamação única e consternada:
— Papagaio!

Era um santo e obstinado homem. Sua utopia de namorado fora um simples e exíguo casal de filhos, um de cada sexo. Veio a primeira menina, mais outra, uma terceira, uma quarta e outro qualquer teria desistido, considerado que a vida encareceu muito. Mas seu Macário incluía entre seus defeitos o de ser teimoso. Na quinta filha, pessoas sensatas aconselharam: "Entrega os pontos, que é mais negócio!". Seu Macário respirou fundo:

— Não, nunca! Nunca! Eu não sossego enquanto não tiver um filho homem!

Por sorte, casara-se com uma mulher, d. Flávia, que era, acima de tudo, mãe. Sua gravidez transcorria docemente, sem enjôos, desejos, tranqüila, quase eufórica. Quanto ao parto propriamente, era outro fenômeno estranhíssimo. Punha os filhos no mundo sem um gemido, sem uma careta. O marido sofria mais. Digo "sofria mais" porque o acometia, nessas ocasiões, uma dor de dente apocalíptica, de origem emocional. O caso dava o que pensar, pois Macário tinha na boca uma chapa dupla. Quando nasceu a sétima filha, o marido arrancou de si um suspiro em profundidade; e anunciou:

— Minha mulher, agora nós vamos fazer a última tentativa!

NOVO PARTO

No dia que d. Flávia ia ter o oitavo filho, os nervos de seu Macário estavam em pandarecos. Veio, chamada às pressas, a parteira, que era uma senhora de cento e trinta quilos, baixinha e patusca. A parteira espiou-a com uma experiência de mil e setecentos partos e concluiu: "Não é pra já!". Ao que, mais do que depressa, replicou seu Macário:

— Meus dentes estão doendo!

E, de fato, o grande termômetro, em qualquer parto da esposa, era a sua dentadura. A parteira duvidou, mas, daí a cinco minutos, foi chamada outra vez. Houve um incidente de última hora. É que a digna profissional já não sabia onde estava a luva. Procura daqui, dali, e não acha. Com uma tremenda dor de dentes postiços, seu Macário teve de passar-lhe um sabão:

— Pra que luvas, carambolas? Mania de luvas!

EUSEBIOZINHO

Assim nasceu o Eusebiozinho, no parto mais indolor que se possa imaginar. Uma prima solteirona veio perguntar, sôfrega: "Levou algum ponto?". Ralharam:

— Sossega o periquito!

O fato é que seu Macário atingira, em cheio, o seu ideal de pai. Nascido o filho e passada a dor da chapa dupla, o homem gemeu: "Tenho um filho homem. Agora posso morrer!". E, de fato, quarenta e oito horas depois, estava almoçando, quando desaba com a cabeça no prato. Um derrame fulminante antes da sobremesa. Para d. Flávia foi um desgosto pavoroso. Chorou, bateu com a cabeça nas paredes, teve que ser subjugada. E, na realidade, só sossegava na hora de dar o peito. Então, assoava-se e dizia à pessoa mais próxima:

— Traz o Eusebiozinho que é hora de mamar!

FLOR DE RAPAZ

Eusebiozinho criou-se agarrado às saias da mãe, das irmãs, das tias, das vizinhas. Desde criança, só gostava de companhias femininas. Qualquer homem infundia-lhe terror. De resto, a mãe e as irmãs o segregavam dos outros meninos. Recomendavam: "Brinca só com meninas, ouviu? Menino diz nomes feios!". O fato é que, num lar que era uma bastilha de mulheres, ele atingiu os dezesseis anos sem ter jamais proferido um nome feio, ou tentado um cigarro. Não se podia desejar maior doçura de modos, idéias, sentimentos. Era adorado em casa, inclusive pelas criadas. As irmãs não se casavam, porque deveres matrimoniais viriam afastá-las do rapaz. E tudo continuaria assim, no melhor dos mundos se, de repente, não acontecesse um imprevisto. Um tio do rapaz vem visitar a família e pergunta:

— Você tem namorada?

— Não.

— Nem teve?

— Nem tive.

Foi o bastante. O velho quase pôs a casa abaixo. Assombrou aquelas mulheres transidas com os vaticínios mais funestos: "Vocês estão querendo ver a caveira do rapaz?". Virou-se para d. Flávia:

— Isso é um crime, ouviu?, é um crime o que vocês estão fazendo com esse rapaz! Vem cá, Eusébio, vem cá!

Implacável, submeteu o sobrinho a uma exibição. Apontava:

— Isso é jeito de homem, é? Esse rapaz tem que casar, rápido!

PROBLEMA MATRIMONIAL

Quando o tio despediu-se, o pânico estava espalhado na família. Mãe e filhas se entreolharam: "É mesmo, é mesmo! Nós temos sido muito egoístas! Nós não pensamos no Eusebiozinho!". Quanto ao rapaz, tremia num canto. Ressentido ainda com a franqueza bestial do tio, bufou:

— Está muito bem assim!

A verdade é que já o apavorava a perspectiva de qualquer mudança numa vida tão doce. Mas a mãe chorou, replicou: "Não, meu filho. Seu tio tem razão. Você precisa casar, sim". Atônito, Eusebiozinho olha em torno. Mas não encontrou apoio. Então, espavorido, ele pergunta:

— Casar pra quê? Por quê? E vocês? — Interpela as irmãs: — Por que vocês não se casaram?

A resposta foi vaga, insatisfatória:

— Mulher é outra coisa. Diferente.

A NAMORADA

Houve, então, uma conspiração quase internacional de mulheres. Mãe, irmãs, tias, vizinhas desandaram a procurar uma namorada para o Eusebiozinho. Entre várias pequenas possíveis,

41

acabaram descobrindo uma. E o patético é que o principal interessado não foi ouvido, nem cheirado. Um belo dia, é apresentado a Iracema. Uma menina de dezessete anos, mas que tinha umas cadeiras de mulher casada. Cheia de corpo, um olhar rutilante, lábios grossos, ela produziu, inicialmente, uma sensação de terror no rapaz. Tinha uns modos desenvoltos que o esmagavam.

E começou o idílio mais estranho de que há memória. Numa sala ampla da Tijuca, os dois namoravam. Mas jamais os dois ficaram sozinhos. De dez a quinze mulheres formavam a seleta e ávida assistência do romance. Eusebiozinho, estatelado numa inibição mortal e materialmente incapaz de segurar na mão de Iracema. Esta, por sua vez, era outra constrangida. Quem deu remédio à situação, ainda uma vez, foi o inconveniente e destemperado tio. Viu o pessoal feminino controlando o namoro. Explodiu: "Vocês acham que alguém pode namorar com uma assistência de Fla-Flu? Vamos deixar os dois sozinhos, ora bolas!". Ocorreu, então, o seguinte: sozinha com o namorado, Iracema atirou-lhe um beijo no pescoço. O desgraçado crispou-se, eletrizado:

— Não faz assim que eu sinto cócegas!

O VESTIDO DE NOIVA

Começaram os preparativos para o casamento. Um dia, Iracema apareceu, frenética, desfraldando uma revista. Descobrira uma coisa espetacular e quase esfregou aquilo na cara do Eusebiozinho: "Não é bacana esse modelo?". A reação do rapaz foi surpreendente.

Se Iracema gostara do figurino, ele muito mais. Tomou-se de fanatismo pela gravura:

— Que beleza, meu Deus! Que maravilha!

Houve, aliás, unanimidade feroz. Todos aprovaram o modelo que fascinava Iracema. Então, a mãe e as irmãs do rapaz resolveram dar aquele vestido à pequena. E mais, resolveram elas mesmas confeccionar. Compraram metros e metros de fazenda. Com um encanto, um *élan* tremendo, começaram a fazer o vestido. Cada qual se dedicava à sua tarefa como se cosesse para si mesma. Ninguém ali, no entanto, parecia tão interessado quanto Eusebiozinho. Sentava-se, ao lado da mãe e das irmãs, num deslumbramento: "Mas como é bonito! Como é lindo!". E seu enlevo era tanto que uma vizinha, muito sem cerimônia, brincou:

— Parece até que é Eusebiozinho que vai vestir esse negócio!

O LADRÃO

Uns quatro dias antes do casamento, o vestido estava pronto. Meditativo, Eusebiozinho suspirava: "A coisa mais bonita do mundo é uma noiva!". Muito bem. Passa-se mais um dia. E, súbito, há naquela casa o alarme: "Desapareceu o vestido da noiva!". Foi um tumulto de mulheres. Puseram a casa de pernas para o ar, e nada. Era óbvia a conclusão: alguém roubou! E como faltavam poucos dias para o casamento sugeriram à desesperada Iracema: "O golpe é casar sem vestido de noiva!". Para quê? Ela se insultou:

— Casar sem vestido de noiva, uma pinóia! Pois sim!

Chamaram até a polícia. O mistério era a verdade, alucinante: quem poderia ter interesse num vestido de noiva? Todas as investigações resultaram inúteis. E só descobriram o ladrão quando dois dias depois, pela manhã, d. Flávia acorda e dá com aquele vulto branco, suspenso no corredor. Vestido de noiva, com véu e grinalda — enforcara-se Eusebiozinho, deixando o seguinte e doloroso bilhete: "Quero ser enterrado assim".

AS GÊMEAS

Estava tomando café em pé quando viu passando, na calçada, a pequena que começara a namorar na véspera. Largou a xícara, largou tudo e atirou-se no seu encalço, quase como um maluco. Tropeça num cavalheiro, esbarra numa senhora, e vai alcançar a menina pouco adiante. Caminha lado a lado e faz a alegre pergunta:

— Como vai essa figurinha?

A garota, que era realmente linda, estaca por um segundo. Olha-o, de alto a baixo, com surpresa e susto. Em seguida, vira o rosto e continua andando. Osmar, desconcertado, apressa o passo e a interroga: "Mas que é isso? Não me reconheces mais?". Nenhuma resposta. E ele, num espanto misturado de irritação: "Que máscara é essa?". Silêncio, ainda. Nessa altura dos acontecimentos, a menina só falta correr. Então, Osmar perde a paciência; segura o braço da fulana: "Olha aqui, Marilena...". Ao ouvir o nome, ela pára: vira-se para ele, mais cordial, quase alegre; encara-o confiante:

— Já vi tudo!

— Tudo como?

Ela parece aliviada:

— Eu não sou Marilena, Marilena é minha irmã.

Pasmo, exclama: "Meu Deus do céu! Que coisa!". A garota sorri, divertida com a confusão:

— Eu sou Iara.

Osmar faz a pergunta desnecessária:

— E são gêmeas?

Na véspera, conhecera Marilena. Fora um desses flertes deliciosíssimos de ônibus. Viajaram em pé, lado a lado, cada qual pendurado na sua argola. Quando saltaram, no mesmo poste, era evidente que a simpatia era recíproca e irresistível. Marilena deu-lhe telefone, endereço, tudo. Só não lhe dissera por falta de oportunidade que tinha uma irmã gêmea, Iara. Quando se encontraram mais tarde, Osmar contou o episódio e dramatizou:

— Sabe que eu estou com a minha cara no chão? Besta! Semelhança espantosa! Assim nunca vi, puxa! Como é que pode, hein?

Sentaram-se num banco de jardim. E, então, Marilena contou que o equívoco de Osmar não seria o primeiro, nem o último. Mesmo amigos e até parentes incidiam por vezes na mesma confusão. A única coisa que diferia entre as duas era um bracelete que Iara usava e a outra não. Ainda na sua impressão profunda, ele observa:

— Irmãs assim, gêmeas, são muito amigas, não são?

Marilena parece vacilar:

— Depende.

Ele insiste: "E vocês?". Marilena resiste:

— Você está querendo saber muito. Vamos mudar de assunto que é melhor.

O DRAMA

Desde o primeiro momento, Osmar julgou descobrir em Marilena a índole, a vocação, o destino da esposa. Uma semana depois, avisava em casa e no emprego, em toda parte: "Vou ficar noivo! Vou me casar!". No fim de quinze dias começa a freqüentar a casa de Marilena. Mais tarde, ou seja, dois meses, e fica noivo. Os amigos batiam-lhe nas costas:

— Que rapidez, que pressa! Bateste todos os recordes mundiais de velocidade!

Pilheriava:

— O negócio, aqui, é a jato!

Passava todos os seus momentos de folga na casa da noiva. E, apesar de ver as duas irmãs diariamente, continuava fazendo o mesmo espanto: "Como é possível, meu Deus, duas criaturas tão parecidas!". E quando saía com Marilena e Iara, fazia ele próprio o comentário jocoso: "Eu me sinto uma espécie de noivo de duas!". Um dia, porém, Marilena pôs-lhe a mão no braço:

— Vou te pedir um favor. Não brinca mais assim. É um favor. Não brinca mais assim. É um favor que te peço.

— Por quê?

E ela:

— Se tu soubesses como me irrita essa semelhança! Estou cansada, farta, de ser tão parecida com Iara! — Pausa e acrescenta, com surdo sofrimento: — Eu não queria me parecer com ninguém! Com mulher nenhuma!

NOVO PEDIDO

Daí a dias, Marilena faz novo pedido: "Não quero que você tenha muita intimidade com Iara, sim?". Osmar, que achava abominável qualquer briga entre parentes, sobretudo entre irmãos, tomou um choque. Pigarreia e indaga: "Mas vocês não são tão amigas?". Marilena crispa-se diante dele: "Amigas, nós? Nunca!". Pela primeira vez, admite:

— Nunca brigamos, nunca discutimos e ela me trata até muito bem. Mas me odeia, ouviu? Eu sei que ela me odeia!

Agarrada ao noivo, Marilena fala do sentimento turvo e constante que não se traduz em atos, em palavras. Explica: "Iara nunca me disse nada, nada, mas...". Osmar pigarreia, assombrado: "Acho que você está exagerando!". Fosse como fosse, ele procurou, com o máximo de tato, discrição, afastar-se da cunhada. Mas não conseguia acreditar que Iara, tão cordial com todos e amorosíssima com Marilena, pudesse odiar alguém e muito menos a irmã. Por essa época, Iara apanhou uma gripe muito forte, quase uma pneumonia. Venceu a crise, é certo; mas sua convalescença constituiu um novo problema. Depauperada, numa tristeza contínua que a calava, só falava em morrer. O médico da família coça a cabeça: "Esgotamento. O golpe é ir para fora". O casamento de Marilena estava marcado para próximo. A mãe pergunta: "Não assiste ao casamento?". Iara responde:

— Não se incomode, mamãe, que eu não vou fazer falta. E se eu ficar aqui não sei, não; acho que vou acabar fazendo uma bobagem!

A família não teve outro remédio senão mandá-la para a fazenda de um tio em Mato Grosso. Muito enfraquecida, Iara suspirou:

— Ótimo que seja em Mato Grosso. Quanto mais longe melhor.

Quando o avião que a levava partiu, Marilena vira-se para o noivo: "Graças, meu Deus, graças!". Essa alegria pareceu a Osmar cruel, quase cínica. Era, porém, evidente que a ausência da outra a fazia felicíssima: "Agora, sim", dizia, "agora eu sei que não me acontecerá nada!". E, de fato, um mês depois casavam-se no civil e no religioso. Como presente de casamento, haviam ganho uma pequena casa, lírica e nupcial, em Lins de Vasconcelos. Às dez horas da noite, deixam a casa dos pais da noiva e vão para a nova residência. Estão solitários como Adão e Eva. Ela, transfigurada, avisa: "Depois te chamo!". Entra no quarto e, ainda de noiva, fecha a porta atrás de si. Do lado de fora, ele espera, fumando, impaciente. Quinze minutos depois, bate. De dentro, vem a resposta: "Já vai". Mais quinze minutos e Marilena entreabre: "Pode vir, meu bem". Horas depois, quando já amanhecia, ele, no seu deslumbramento, passa a mão no braço da pequena. Súbito, senta-se na cama. Balbucia, apavorado: "O bracelete!". Ela responde, muito doce:

— Eu não sou Marilena, eu sou Iara.

Fora de si, ele se levanta, procura debaixo da cama, dos móveis; derruba uma cadeira; e, no meio do quarto, olha em torno, sem compreender. Então, Iara aponta: "Ali!". Como um louco, ele corre ao guarda-vestidos; num uivo abre as duas portas. Mas recua, numa histeria pavorosa. Lá de dentro, vem sobre ele o cadáver de Marilena, vestido de noiva. Na cama, Iara está acendendo um cigarro americano.

O CANALHA

Quando soube que a noiva tinha viajado de lotação com o Dudu, sentada no mesmo banco, pôs as mãos na cabeça:

— Com o Dudu?

E ela:

— Com o Dudu, sim.

As duas mãos enfiadas nos bolsos, andando de um lado para outro, ele estaca, finalmente, diante da pequena:

— Olha, Cleonice, vou te pedir um favor de mãe pra filho. Pode ser?

— Claro.

Puxa um cigarro:

— É o seguinte: de hoje em diante, ouviu?, de hoje em diante, tu vais negar o cumprimento ao Dudu.

Admirou-se:

— Por que, meu anjo?

Ele explicou:

— Porque o Dudu é um cínico, um crápula, um canalha abjeto. Um sujeito que não respeita nem poste e que é capaz até de dar em cima de uma cunhada. O simples cumprimento de Dudu basta para contaminar uma mulher. Percebeste?

— Percebi.

Ainda excitado, ele enxuga com o lenço o suor da testa:

— Pois é.

Passou. Mas a verdade é que Cleonice ficou impressionadíssima. Dava-se com o Dudu, sem intimidade, mas cordialmente. Dançara com ele umas duas ou três vezes. Mas como o Dudu fosse fisicamente simpático e educadíssimo, Cleonice guardara dos seus contatos acidentais uma boa impressão. Caiu das nuvens ao saber que ele era capaz de "dar em cima de uma cunhada". Teria, porém, esquecido. Voltando à carga, sentado com a noiva num banco de jardim público, ele começa:

— Meu anjo, tu sabes que eu não tenho ciúmes. Não sabes?

— Sei.

Pigarreia:

— Só tenho ciúmes de uma pessoa: o Dudu. E nunca te esqueças: é um canalha, talvez o único canalha vivo do Brasil. Todo mundo tem defeitos e qualidades. Mas o Dudu só tem defeitos.

Inexperiente da vida e dos homens, ela fazia espanto:

— Mas isso é verdade? Batata?

Exagerou:

— Batatíssima! Quero ser mico de circo se estou mentindo! — E repetia, num furor terrível e inofensivo: — Indigno de entrar numa casa de família!

OBSESSÃO

Então, sem querer, sem sentir, Lima foi fazendo do Dudu o grande e absorvente personagem de suas conversas. Argumentava:

— Você é muito boba, muito inocente, nunca teve outro namorado senão eu. Queres um exemplo? Sou teu noivo, vou casar contigo. Muito bem. O que é que houve entre nós dois? Uns beijinhos, só. É ou não é?

Impressionada, admitiu:

— Lógico!

Lima continua:

— Figuremos a seguinte hipótese: que, em vez de mim, fosse teu namorado o Dudu. Tu pensas que ele ia te respeitar como eu te respeito? Duvido! Duvido! Dudu não tem sentimento de família, de nada! É uma besta-fera, uma hiena, um chacal!

Crispando-se, Cleonice suspira: "Parece impossível que existam homens assim". Lima prossegue: "Vou te dizer uma coisa mais: o Dudu olha para uma mulher como se a despisse mentalmente!".

A FESTA

Dias depois, Cleonice está conversando com umas coleguinhas quando alguém fala do Dudu. Então, ela olha para os lados e baixa a voz: "Ouvi dizer que o Dudu deu em cima de uma cunhada!". Uma das presentes, que conhecia o rapaz, a família do rapaz, protesta: "Mas o Dudu nem tem cunhada!". Mais tarde a espantadíssima Cleonice interpela o Lima. Ele não se dá por achado:

— Eu não disse que o Dudu deu em cima de uma cunhada. Eu disse que "daria" caso tivesse. Você entendeu mal.

Mais alguns dias e os dois vão a uma festa, em casa de família. Entram e têm, imediatamente, o choque: Dudu estava lá! Junto de uma janela, com o seu bonito perfil, fumando de piteira, pálido e fatal, atraía todas as atenções. Lima aperta o braço da noiva. Diz, entredentes: "Vamos embora". Ela, espantada, pergunta: "Por quê?". O noivo a arrasta:

— O Dudu está aí. E não convém, ouviu? Não convém! Imagina se ele tem o atrevimento de te tirar para dançar. Deus me livre!

O MEDO

Na volta da festa, Cleonice faz, pela primeira vez, um comentário irritado:

— Fala menos nesse Dudu! Sabe que eu só penso nele? Te digo mais: tenho medo!

Lima estaca: "Medo de que e por que, ora essa?". Ela parece confusa:

— Essas coisas impressionam uma mulher. — E repete o apelo: — Não fala mais nesse cara! É um favor que te peço!

Ele obstinou-se: "Falo, sim, como não? Você precisa olhar o Dudu como um verme!". Cleonice suspirou:

— Você sabe o que faz!

ÓDIO

Corria o tempo. Todos os dias, o Lima aparecia com uma novidade: "Vi aquela besta com outra!". E se havia uma coisa que doesse nele, como uma ofensa pessoal, era a escandalosa sorte do "canalha" com as outras mulheres. Nos seus desabafos com a noiva, Lima exagerava: "Cheio de pequenas! Tem namoradas em todos os bairros!". Um dia, explodiu:

— Vocês, mulheres, parece que gostam dos canalhas! Por exemplo: o meu caso. Sem falsa modéstia, sou um sujeito decente, respeitador e outros bichos. Pois bem. Não arranjava pequena nenhuma. Até hoje não compreendo como você gostou de mim, fez fé comigo e me preferiu ao Dudu. — Pausa e baixa a voz, na confissão envergonhada: — Porque o Dudu me tirou todas as outras namoradas, uma por uma.

Era essa, com efeito, a origem do seu ódio por Dudu, do despeito que o envenenava.

AS BODAS

Chega o dia do casamento. Poucos minutos antes da cerimônia civil, Lima, transfigurado, ainda diz ao ouvido da noiva: "O Dudu roubou todas as minhas pequenas, menos você!". Pois bem. Casam-se no civil e, mais tarde, no religioso. Quase à meia-noite, estão os dois sozinhos, face a face, no apartamento que seria a nova residência. Ele, nervosíssimo, baixa a voz e pede: "Um beijo!". Ela, porém, foge com o rosto: "Não!". Lima não entende. Cleonice continua:

— Falaste tanto e tão mal do Dudu que eu me apaixonei por ele. Eu não trairei o homem que eu amo nem com o meu marido.

Lima compreendeu que a perdera. Sem uma palavra deixa o quarto nupcial. De pijama e chinelos veio para a porta da rua. Senta-se no meio-fio e põe-se a chorar.

SEM CARÁTER

No quarto ou no quinto encontro, apanhou a mão direita da pequena. Fez a pergunta:

— Que anel é este?

— Aliança.

— Você é noiva?

— Ué! Você não sabia?

— Te juro que não.

E ela:

— Pois sou. Noiva. Vou me casar em maio.

— No duro?

— Palavra de honra!

Então, na sua impressão profunda, Geraldo bufou:

— Estou besta! Com a minha cara no chão!

Conhecera a pequena numa saída de cinema, em fim de sessão. Sentindo-se olhado, animou-se. A pequena podia não ser nenhum deslumbramento. Era, porém, jeitosa de rosto e de corpo. Geraldo, hesitante, aventurou:

— Pode ser ou está difícil?

Dez minutos depois, conversavam, num banco de jardim. Jandira confessou: "Fiz fé com tua cara". E não mentia. Muito espontânea, instintiva, era uma mulher de primeiríssimas impressões. Marcaram um novo encontro para o dia seguinte. E Geraldo despediu-se feliz. Meio tímido, achava a mulher fácil a coisa mais doce do mundo. Jandira correspondia plenamente a este ideal de facilidade. Ele vira o anel na mão direita, é certo. Mas fizera seus cálculos: "Um anel qualquer". E passara por cima do detalhe. No quinto encontro, porém, a interpelara. Recebe a notícia. E, como duvidasse ainda, Jandira, com calma, abriu a bolsa e apanhou uma página de revista com o lindo retrato de noiva. Geraldo arregalou os olhos para a gravura. E Jandira explicou:

— Estás vendo?

— Estou.

— Esse é o figurino do meu vestido de noiva. Não é bonito?

Coçou a cabeça desconcertado:

— É.

Dobrou e enfiou na bolsa a página de revista. Erguia para ele o olhar muito sereno, quase doce. Por um momento Geraldo não soube dizer nada. Acabou suspirando:

— Posso te fazer uma pergunta?

— Faz.

Pigarreou:

— Não te dói fazer isso com o teu noivo?

— Por quê?

— Responde.

Foi vaga:

— Meu noivo é muito sério! Sério demais!

O NOIVO

Nessa mesma noite, Geraldo quis desabafar com alguém. Pensou em vários amigos e acabou escolhendo o Antunes. Contou-lhe o caso, pediu conselhos. E dizia:

— Tu sabes como eu sou. Pra mim, a infidelidade é o fim do mundo. Eu não compreendo como uma mulher pode trair um homem!

O outro ouvia tudo, em silêncio e interessado. Fez a pergunta: "Acabaste?". Admitiu: "Já". Então, o Antunes inclinou-se, fincou os dois cotovelos na mesa:

— Deixa de ser burro, rapaz! Ou tu pensas que essa é a primeira mulher que passa um homem pra trás? Aproveita!

Inconformado, gemia:

— Mas eu acho uma sujeira abominável!

O outro explodiu:

— Não adianta! Isso é café pequeno, é canja! Ninguém liga pra isso! Mergulha de cara!

Com ou sem escrúpulos, Geraldo continuou o romance. Mas, sem querer, sem sentir, foi se deixando dominar pela obsessão do noivo. Nos encontros com a pequena, fazia do outro quase um assunto exclusivo. Indagava: "Conta como é teu noivo, conta!". Jandira fazia-lhe a vontade:

— Imagina que até hoje não me beijou na boca!

— Por quê?

— Sei lá!

— Ué!

E ela:

— Sabe qual é a mania dele? Deixa tudo para depois do casamento, inclusive o beijo.

— Gozado!

— Não é?

E como o assunto era um beijo, ela recostava a cabeça no seu ombro. Pedia:

— Dá um daqueles, dá!

Com uma espécie de raiva, de remorso, ele obedecia. E assim iam vivendo aquela história de amor. Um dia, porém, há a coincidência. Pela primeira vez a vê, com o noivo, num cinema. Parecia amorosa e feliz ao lado do outro. Geraldo ainda resistiu uns quinze a vinte minutos. Acabou não agüentando. Levantou-se, abandonou o cinema no meio do filme, indignado. Nessa noite não dormiu. Das onze horas da noite até as sete horas da manhã fumou dois maços de cigarros. Subitamente compreendia, com uma dessas clarividências inapeláveis, que amava essa menina até onde um homem pode amar uma mulher. Apertando a cabeça entre as mãos, refletia: "Eu também sou traído. Ela me trai com o noivo!".

DILEMA

Quando se encontraram à tarde, ele se enfureceu: "Ou ele ou eu!". Com o lábio trêmulo, perguntava: "Ou tu pensas que eu divido mulher com os outros? Em absoluto!". Surpresa e divertida, ela indaga:

— Quem é o noivo?

— Ele.

— Pois é. Como noivo, ele tem todos os direitos, ao passo que você não tem nenhum. Claro como água, meu anjo, claríssimo!

Fora de si, agarrou-a pelos braços: "Vamos acabar com isso. Ele é que é o noivo, quem vai casar contigo. E eu sou o carona. Não senhora! Não interessa!". Quase na hora de se despedirem, Geraldo propõe a solução:

— Vamos fazer o seguinte: você desmancha seu noivado.

— E depois?

— Bem. Depois você casa comigo, OK?

Custou a responder:

— OK.

DÚVIDA

Parecia definida a situação. Todavia, no seguinte encontro, Jandira apareceu desesperada: "Desmanchar com o meu noivo pra quê? Não está tão bom assim?". Tentava convencê-lo: "Eu continuarei contigo, bobo!". Fez a pergunta sofrida: "Mesmo depois do casamento?". Admitiu: "Claro!". Por um instante ele ficou mudo, em suspenso. E, súbito, exalta-se:

— Assim eu não quero! Assim não interessa!

— Por quê?

E ele, quase chorando:

— Porque o noivo tem todas as vantagens, todas. E, no casamento, o marido é um paxá, um boa-vida. E o amante é um pobre-diabo, um infeliz, um palhaço! Eu não quero ser o amante, ouviste?

A pequena suspirou:

— Você é quem sabe!

DRAMA

A partir de então, sempre que se encontravam, perguntava, ávido: "Já acabaste?". Jandira respondia: "Não. Ainda não. Amanhã, sem falta". Mas este "amanhã" nunca chegava. Uma tarde, ele, mais violento, gritou. Ela, ressentida, endureceu o rosto: "Não vai dar certo. É melhor a gente acabar". Esbugalhou os olhos: "Não vai dar certo por quê?". E ela, baixo: "Porque eu quero os dois". Recuou, assombrado: "Os dois?". Confirmou, sem medo, acrescentando:

55

— Serve assim?

Com a boca torcida, Geraldo diz-lhe: "Olha, sabes o que tu merecias por este teu cinismo, sabes? Um tiro na boca! Cínica! Cínica!". Então, senhora de si, a moça apanhou a bolsa no jardim. Ergueu-se: "Paciência". Atônito, viu-a afastar-se. Mas não resistiu. Correu. Caminhando a seu lado, na alameda deserta, soluçou: "Serve assim! Serve!". Completou, arquejante:

— Mas eu quero ser o marido! Não quero ser o outro!

Um ano depois, casaram-se. No civil e no religioso, Geraldo viu, entre os presentes, o ex-noivo, num terno azul-marinho, de cerimônia.

O DECOTE

Era uma mãe enérgica, viril, à antiga. Diabética, asmática, com sessenta anos nas costas, apanhou um táxi na Tijuca e deu o endereço do filho, em Copacabana. Chegou de surpresa. A nora, que não gostava da sogra perspicaz e autoritária, torceu o nariz. Já o filho, que a respeitava acima de tudo e de todos, precipitou-se, de braços abertos, trêmulo de comoção:

— Oh, que milagre!

Deu-lhe o braço. Há dois anos, com efeito, que d. Margarida não entrava naquela casa. Indispôs-se com a nora, cuja beleza a irritava, e cortou o mal pela raiz: "Não ponho mais os pés aqui, nunca mais". Clara deu graças a Deus. Aquela sogra, sem papas na língua, a exasperava. E Aderbal, que era um bom filho e melhor marido, limitou-se a uma exclamação vaga e pusilânime: "Mulher é um caso sério!". Foi só. Eis que, dois anos depois, abandonando sua rancorosa intransigência, d. Margarida punha os pés naquela casa. Foi um duplo sacrifício, físico e moral, que ela se impôs, heroicamente. Trancou-se com o filho no gabinete. Perguntou:

— Sabe por que eu vim aqui?

E ele, impressionado:

— Por quê?

D. Margarida respirou fundo:

— Vim lhe perguntar o seguinte: você é cego ou perdeu a vergonha?

Não esperava por esse ataque frontal. Ergueu-se, desconcertado: "Mas como?". Apesar dos seus achaques, que faziam de cada movimento uma dor, d. Margarida pôs-se de pé também. Prosseguiu, implacável:

— Sua mulher anda fazendo os piores papéis. Ou você ignora? — E, já com os olhos turvos, uma vontade doida de chorar, interpelava-o: — Você é ou não é homem?

Foi sóbrio:

— Sou pai.

O PAI

Há quinze anos atrás, os dois se casaram, no civil e religioso, e, como todo mundo, numa paixão recíproca e tremenda. A lua-de-mel durou o quê? Uns quinze, dezesseis dias. Mas, no décimo sétimo dia, encontrou-se Aderbal com uns amigos e, no bar, tomando uísque, ele disse, por outras palavras, o seguinte: "O homem é polígamo por natureza. Uma mulher só não basta!". Quando chegou em casa, tarde, semibêbado, Clara o interpelou: "Que papelão, sim senhor!". Ele podia ter posto panos quentes, mas o álcool o enfurecia. Respondeu mal; e ela, numa desilusão ingênua e patética, o acusava: "Imagine! Fazer isso em plena lua-de-mel!". A réplica foi grosseira:

— Que lua-de-mel? A nossa já acabou!

Durante três dias e três noites, Clara não fez outra coisa senão chorar. Argumentava: "Se ele fizesse isso mais tarde, vá lá. Mas agora...". A verdade é que jamais foi a mesma. Um mês depois, acusava os primeiros sintomas de gravidez, que o exame médico confirmou. E, então, aconteceu o seguinte: enquanto ela, no seu ressentimento, esfriava, Aderbal se prostrava a seus pés em adoração. Sentimental da cabeça aos pés, não podia ver uma senhora grávida que não se condoesse, que não tivesse uma vontade absurda de protegê-la. Lírico e literário, costumava dizer: "A mulher grávida merece tudo!". No caso de Clara, ainda mais, porque era o seu amor. No fim do período, nasceu uma menina. E foi até interessante: enquanto Clara gemia nos trabalhos de parto, Aderbal, no corredor, experimentava a maior dor de dente de sua vida. Mas ao nascer a criança a nevralgia desapareceu, como por milagre. E, desde o primeiro momento, ele foi, na vida, acima de tudo, o pai. Esquecia-se da mulher ou negligenciava seus deveres de esposo. Mas, jamais, em momento algum, deixou de adorar a pequena Mirna. Incidia em todas as inevitáveis infantilidades de pai. Perguntava: "Não é a minha cara?". Os parentes, os amigos, comentavam:

— Aderbal está bobo com a filha!

58

Quando Mirna fez oito anos, recebeu uma carta anônima em termos jocosos: "Abre o olho, rapaz!". Pela primeira vez, caiu em si. Começou a observar a mulher. Mãe disciplicente, vivia em tudo que era festa, exibindo seus vestidos, seus decotes, seus belos ombros nus. Um dia, chamou a mulher: "Você precisa selecionar mais suas amizades...". Clara, limando as unhas, respondeu: "Vê se não dá palpite, sim? Sou dona do meu nariz!". Desconcertado, quis insistir. Ela, porém, gritou: "Você nunca me ligou! Nunca me deu a menor pelota!". Aderbal teve que dar a mão à palmatória!

— Bem. Eu não me meto mais. Mas quero lhe dizer uma coisa: nunca se esqueça que você tem de prestar contas à sua filha.

Foi malcriada:

— Ora, não amola!

Foi esta a última vez. Nunca mais discutiram.

Aderbal passou a ser apenas uma testemunha silenciosa e voluntariamente cega da vida frívola da mulher. Tinha uma idéia fixa, que era a filha. Uma vez na vida, outra na morte, dizia à esposa: "Nunca se esqueça que você é mãe". E era só. Agora que Mirna completava quinze anos, d. Margarida invadia-lhe a casa. Discutiram os dois. A velha partia do seguinte princípio: Clara era infiel e, portanto, o casal devia separar-se e, depois, desquitar-se. Desesperado, Aderbal teve uma espécie de uivo: "E minha filha?". D. Margarida explodiu: "Ora pílulas!". Ele foi categórico:

— Olhe, minha mãe: eu não existo. Compreendeu? Quem existe é a minha filha. Não darei esse desgosto à minha filha, nunca!

A velha usou todos os seus argumentos, mas em vão. Aderbal dava uma resposta única e obtusa: "Pode ter amante, pode ter o diabo, mas é mãe de minha filha. E se minha filha gosta dessa mulher ela é sagrada para mim, pronto, acabou-se!". Por fim, já sem paciência, d. Margarida saiu, apoiada na sua bengala de doente. E, da porta, gritou:

— Você precisa ter mais vergonha nessa cara!

Uns quarenta minutos depois, Aderbal foi falar com Mirna: "Vem cá, minha filha: você gosta muito de sua mãezinha?''. Ela pareceu maravilhada com a pergunta: "Você duvida, papai?''. Pigarreou, disfarçando: "Brincadeira minha''. Sentada no colo paterno, a pequena, que era parecida com Clara, suspirou: "Gosto muito de mamãe e gosto muito de você''. Atormentado, ele deixou passar uns dois dias. No terceiro dia, discutiu com a mulher. E definiu a situação:

— Eu sei que você não gosta de mim. Mas respeite, ao menos, sua filha.

A discussão podia ter tido um tom digno. Mas Clara estava tão saturada daquele homem que não resistiu. A voz do marido, o gesto, a roupa, as mãos, a pele — tudo a desgostava. Com dezesseis anos de casada, percebia que num casal, pior do que o ódio, é a falta de amor. Perdeu a cabeça, disse o que devia e o que não devia. Aderbal quis conservar a serenidade: "Minha filha não pode saber de nada''. Então, Clara teve um acinte desnecessário, uma crueldade inútil; interpelava-o: "Você fala de sua filha. E você? Afinal, o marido é você!''. Muito pálido, Aderbal emudeceu. Ela continuou, agravando a humilhação do marido: "Ou você vai dizer que não sabe?''. Na sua cólera contida, quis sair do quarto. Mas já Clara se colocou na sua frente, resoluta, barrando-lhe o caminho. Voltara, há pouco, de uma festa. Estava de vestido de baile, num decote muito ousado, os ombros morenos e nus, perfumadíssima. E, então, com as duas mãos nos quadris, fez a desfeita:

— Não vá saindo, não. — E perguntava: — Você não me provocou? Agora agüente!

E ele, em voz baixa:

— Fale baixo. Sua filha pode ouvir!

Sem querer, Clara obedeceu. Falou baixo, mas, pela primeira vez, disse tudo. Assombrado, diante dessa maldade que irrompia, sem pretexto, gratuita e terrível — ele se limitava: "Por que você diz isso? Por quê?''. Queria interrompê-la: "Cale-se! Cale-se! Eu não lhe perguntei nada! Eu não quero saber!''. Mas a própria Clara não se continha mais:

— Você conhece fulano? Seu amigo, deve favores a você, o diabo. Pois ele foi o primeiro!

— Fulano? Mentira!...

E ela:

— Quero que Deus me cegue se minto! Sabe quem foi o segundo? Sicrano! Queres outro? Beltrano. Ao todo, dezessete! Compreendeu? Dezessete!

Então, desfigurado, ele disse:

— Só não te mato agora mesmo porque minha filha gosta de ti!

Disse isso e saiu do quarto.

A FILHA

Dez minutos depois, de bruços no divã, ele chorava, no seu ódio impotente. E, súbito, sente que uma mão pousa na sua cabeça. Vira-se, rápido. Era a filha que, nas chinelinhas de arminho, no quimono rosa e bordado, descera de mansinho. Ajoelhou-se a seu lado. Desconcertado, passou as costas das mãos, limpando as lágrimas. Então, meiga como nunca, solidária como nunca, Mirna disse: "Eu ouvi tudo. Sei de tudo". Lenta e grave, continuou:

— Eu não gosto de minha mãe. Deixei de gostar de minha mãe.

Ele pareceu meditar, como se procurasse o sentido misterioso dessas palavras. Levantou-se, então. Foi a um móvel e apanhou o revólver na gaveta. Subiu, sem pressa. Diante do espelho, Clara espremia espinhas. Ao ver o marido, pôs-se a rir. Boa, normal, afável com os demais, só era cruel com aquele homem que deixara de amar. Seu riso esganiçado e terrível foi outra maldade desnecessária. Então, Aderbal aproximou-se. Atirou duas vezes no meio do decote.

SÓRDIDO

Começa perguntando:

— Topas uma farrinha hoje?

Do outro lado, Camarinha boceja:

— Hoje não posso. Outro dia.

E o Nonato:

— Escuta, seu zebu. Tem que ser hoje. Vamos hoje. Escuta, Camarinha. Eu acabo de ler o Corção. Deixa eu falar. E quando leio o Corção tenho vontade de fazer bacanais horrendas, bacanais de Cecil B. de Mille!

Novo bocejo do Camarinha:

— Não faz piada!

Com alegre ferocidade, Nonato continua: — "Piada, vírgula! Batata!". Sua tese era a de que o Corção "compromete os valores que defende". E insistia, com jucunda agressividade:

— Por causa do Corção já desisti da vida eterna. Já não quero mais ser eterno, percebeste? Quando penso na virtude do Corção, eu prefiro, sob a minha palavra de honra: prefiro ser um canalha abjeto!

O Camarinha achava graça. Por fim, admitiu:

— Está bem. Vamos fazer a farra. Levo aquelas duas garotas.

— Leva. E olha: — rachamos as despesas.

O LANTERNEIRO

Deixa o telefone e anuncia para os companheiros: — "Hoje vou fazer uma bacanal de Cecil B. de Mille!". Uma datilógrafa, de óculos e maus dentes, sorri-lhe, melíflua: — "O senhor gosta de uma boa pândega!". Foi aí que, num repelão teatral, Nonato puxa do bolso o artigo do Corção. Esfrega-o na cara dos colegas:

— Vê como o artigo do Corção cheira mal!

A datilógrafa (ainda por cima dentuça) geme, extasiada: — "O senhor é um número! Uma bola!". E, então, com uma falsa gravidade, o rapaz estende-lhe o recorte:

— Fora de brincadeira, a senhora leia! Por obséquio, leia. Depois me diga se tenho ou não tenho razão. Certas virtudes fedem. A do Corção é dessas!

Do fundo do escritório, veio o Zé Geraldo, tropeçando nas cadeiras. Era um "lanterneiro" frenético. Começa:

— Você, olha! Um momento! O Corção está muito acima de você. Muito acima. Você não tem nem competência para entender o Corção!

Com um alegre tom polêmico, o outro replicava:

— Depois de ler o Corção, eu tenho vontade de roubar galinhas! De agarrar mulher no peito, "à galega"! E, se hoje vou fazer uma farra sórdida, agradeça ao Corção!

Ao lado, meio atônita, a datilógrafa ouvia só. Instintivamente, farejou o recorte. E, fosse por sugestão ou por outro motivo qualquer, achou que o artigo exalava realmente um odor esquisito. O "lanterneiro" estrebucha: "Sórdido!". Ao que Nonato replicou na sua fúria radiante:

— A minha sordidez fede menos que a virtude do Corção!

A BACANAL

A briga deu em nada. Às seis horas sai o Nonato, às carreiras. Encontra-se com o Camarinha, na esquina de México com Araújo Porto Alegre. O outro parecia lúgubre. Rosna:

— Mixou.

— O que é que mixou?

— A farra.

Protesta: — "Mas não me diga uma coisa dessas! Eu já estava todo engatilhado!". Contou que lera o Corção e que o artigo lhe dera uma violenta nostalgia do excremento. O outro explicava, com certo humor:

— Eu já sou normalmente sórdido, mesmo sem ler o Corção. Mas o caso é o seguinte: — uma das pequenas, a menorzinha, comeu uma empada que fez mal e...

Nonato pôs as mão na cabeça: — "Que peso! Que azar!". Caminhando com o amigo em direção ao Pardelas, fazia-lhe apelos:

— Arranja outra! Outras! Tu conheces todo mundo!

— Dou um jeito — prometeu o Camarinha.

Entram no Pardelas, sentam-se. Dentro em pouco, estão bebendo. Mais uns quinze, vinte minutos e o chope começa a atuar nos dois. Nonato continua na idéia fixa:

— Por causa do Corção, já chutei a vida eterna. Prefiro apodrecer dignamente.

Estão semibêbados. Súbito, o Camarinha levanta a cabeça:

— Descobri. Tenho uma mulher pra ti. Uma cara. Boa pra burro.

Com o olhar apagado, quer saber: — "Quem é?". Camarinha passa as costas da mão na boca encharcada. Disse (ri pesadamente):

— Surpresa.

O próprio Camarinha paga a despesa. Saem, com um equilíbrio meio deficiente. Nonato faz perguntas: "Onde é? Eu conheço?". A resposta foi a mesma:

— Surpresa.

Tomam um táxi. Nonato insiste: "Diz logo! Não chateia!". O outro reage, ofendido: — "Você confia ou não confia em mim?". Respondeu que confiava. Mas o Camarinha era um bêbado insistente:

— Se não confia, a gente salta!

— Confio. Em você, confio. Juro.

Quando param, Nonato dormia no ombro do Camarinha. Este teve de sacudi-lo. Pagam e descem. Nonato olha em torno. Reconhece a praça Saenz Peña. Com a vista turva e as pernas bambas, é puxado pelo amigo. Apesar de tudo, Camarinha é o mais sóbrio. Dobram uma esquina. Nonato, que pouco andava por aqueles lados, estava perdido. Súbito, Camarinha estaca: — "É aqui". Crispa a mão no braço do outro e baixa a voz:

— Eu quero me vingar dessa cara. Eu te apresento e olha: — antes de sair, você dá a ela cinco cruzeiros. Cinco. Eu quero humilhar. Dá-lhe cinco cruzeiros. Se não tem trocado, toma aqui. Olha. Aqui, cinco cruzeiros. Toma. Segura.

Nonato embolsa a cédula. Empurra o portão e entram. Batem. Uma moça (linda, linda) abre. Camarinha a afasta, com um palavrão. Nonato parou:

— Mas essa é tua mulher!

Ela não se mexe, firme, ereta. Camarinha ri pesadamente:

— É minha mulher. Me traiu. Eu descobri e todo dia trago um. Ouviu? Trago um e o sujeito paga cinco cruzeiros. Hoje é você. Entra ali. Naquela porta. Ali.

Sem uma palavra, a mulher foi na frente. Nonato tem um esgar de choro: — "Mas é tua esposa!". O outro sacode: "Vai ou te arrebento!". Empurra-o. Nonato caminha, entra. A mulher fecha a porta à chave. Olham-se. Ela espera. Nonato começa:

— Eu não tocarei na senhora. Não tocarei.

E, súbito, cai-lhe aos pés. De joelhos, abraçado às suas pernas, repetia: — "Minha santa! Oh, minha santa!". Na sua tristeza quase doce, ela passou-lhe, de leve, a mão pela cabeça.

O MARIDO SANGUINÁRIO

No telefone, Glorinha dramatizou:

— Eu vou, ouviu? Eu vou, mas uma coisa eu quero que tu saibas: eu nunca traí o meu marido, nunca. É a primeira vez. Te juro pela vida dos meus dois filhos!

Do outro lado da linha, Eurilo admitia: — "Eu sei, meu anjo, claro. Nunca duvidei de ti". Em seguida, dita o endereço: — "Toma nota, benzinho, toma nota. É rua tal, número tal, quase na esquina com Duvivier. Tomaste nota? Olha: quatro horas".

Glorinha escreveu as indicações num papel. E Eurilo despedia-se:

— Um beijinho nessa boca.

Respondeu, por entre lágrimas:

— Pra ti também.

Desligado o telefone, Eurilo vira-se para o Miranda, seu companheiro de trabalho. Com os beiços trêmulos e o olho rútilo, anuncia:

— Está no papo. Não tem nem castigo.

O PRIMEIRO PECADO

Glorinha não mentia, nem exagerava. Desde que se casara, há cinco anos, jamais se permitira um olhar, um sorriso, que pudesse justificar uma dúvida, uma suspeita. Nas suas conversas com amigas, vizinhas, era taxativa: achava a infidelidade "o fim". Pois bem. No quinto ano de casada conhece Eurilo numa fila de ônibus. Interessante é que, desde o primeiro momento, foi uma indefesa, uma derrotada diante desse homem quase belo. Antes de saber-lhe o nome, sentiu-se uma conquistada. Depois, viajaram, no ônibus apinhado, em pé, lado a lado, cada um na sua argola. Ele arriscou uma palavra, uma frase: ela, nervosíssima, respondeu. E bastou. Assim começou o romance. Glorinha apertava a cabeça entre as mãos: — "Sabe que eu estou admirada comigo mesma?". Mas não admitia nenhuma intimidade material. Ou por outra: — admitia, quando muito, o beijo na mão, e só. Atônita diante da própria fragilidade, consolava-se ao pensar: — "Beijo na mão não é adultério". E cada vez gostava mais de Eurilo. Ele, certo da própria força, começou a querer um encontro num interior. Glorinha horrorizou-se: — "Isola!". Falava, porém, da boca para fora. No fundo, a idéia produzia nela um deslumbramento absoluto. Ele insistiu um dia, dois, três; dizia: "Olha, é um apartamento num edifício residencial, cheio de crianças". Sugeriu a fórmula: — "Você entra e sai sozinha". Objetou: — "E meu marido?". Ele teve um protesto: — "Você só pensa no seu marido e em mim não. Parei contigo". Glorinha soluçou no telefone:

— Vou, pronto. Não é isso que você quer? Vou.

O MARIDO

Ela compareceu, pontualmente, às quatro horas. Entre um beijo e outro, num delírio de carinho, confessou: — "Quando te vi, na fila de ônibus, eu senti que não amava meu marido, que não conhecia o amor". Passaram toda a tarde numa felicidade de novela. No limite da noite, e quando Glorinha refazia a pintura, Eurilo lembra-se de perguntar:

— Que tal teu marido?

Vira-se:

— Uma fera!

— Mas fera como?

Glorinha suspira:

— Tem o pior gênio do mundo!

Eurilo apanha e acende um cigarro. Impressionado, insiste: — "Vem cá. Se teu marido descobrisse o nosso caso, faria o que, na tua opinião?". Ela foi taxativa:

— Meu marido é capaz de matar, dar tiros, o diabo! Um caso sério!

Em pé, no meio do quarto, ele faz, com esforço, a blague:

— Quer dizer que eu estou arriscado a morrer como um passarinho, com um tiro na cara?

Glorinha, que já estava pronta, agarra-se a ele:

— Se tu morreres, valeu a pena, não valeu?

Pigarreou:

— Valeu, sim, valeu.

Apanhando a bolsa, Glorinha insiste:

— E te digo mais: eu não teria medo nenhum de morrer contigo!

MEDO

Esse marido desconhecido e sanguinário o impediu de dormir direito. Na manhã seguinte, no escritório, desabafa com o Miranda: — "Imagina tu: — eu, caçado a tiro, como um passarinho". A imagem do passarinho não lhe saía da cabeça. O Miranda, que sofria de asma, que era um pessimista de fundo asmático, dramatizou:

— Abre o olho! Abre o olho! E queres um conselho? Um conselho batata?

— Quero.

Foi sumário, foi brutal:

— Chuta essa fulana! Mulher casada é espeto! Chuta enquanto é tempo!

Coçou a cabeça:

— O diabo é que eu tenho um rabicho tremendo pela pequena! — Baixa a voz e confidencia: — Gostosa pra chuchu!

O outro rosna:

— Então, lavo as minhas mãos. O máximo que posso fazer é mandar uma coroa vagabundérrima quando o marido te chumbar.

DRAMA

Mas o drama estava desencadeado. No medo do marido e na atração pela mulher, Eurilo esteve mais umas três ou quatro vezes com a garota no tal edifício residencial. Até que, um dia, Glorinha, aninhada nos seus braços, suspira: — "Gosto tanto de ti, que se meu marido quiser me beijar eu não deixo, compreendeu? Não deixo". Ele não entendeu: — "Não deixa como? Não é teu marido?".

Falou:

— Não me interessa se é meu marido. O fato é que eu não traio você nem com meu marido!

Pálido, argumenta: — "Mas se você fizer isso ele vai perceber, vai desconfiar. Claro!". Glorinha teve um rompante heróico: — "Se desconfiar, azar o dele! Não tenho medo de morrer, meu filho! Nenhum, nenhum!". E gabou-se, feliz do próprio temperamento: — "Eu sou assim!". Apavorado, Eurilo deu-lhe conselhos: — "Meu anjo, vamos agir com a cabeça. Nada de precipitações. Pra que, não é mesmo?". Ela explode:

— Você acha o quê? Que eu, amando você, vou aceitar beijos de outro homem? Nem por um decreto! E tu aceitarias isso? Responde! Aceitarias essa sociedade?

Gaguejou: — "Mas é teu marido!". E ela, horrorizada: — "Oh, Eurilo!". Ele é obrigado a reagir contra o próprio pânico:

— Claro que eu não aceitaria a sociedade, evidente! Em todo o caso, cuidado!

EXPLOSÃO

O pior aconteceu, três ou quatro dias depois. Glorinha chega e anuncia: — "Deu-se a melódia!". Eurilo ergueu-se, em câmera lenta: — "Como?". A pequena resume:

— Eu sou mulher de um homem só. Te avisei, não avisei? Que não admitia sociedade? Pois é. Deixei uma carta para meu marido, contando tudinho, e vim pra ficar.

Estupefato, Eurilo, que estava sentado, ergueu-se: — "Contou tudo como? Você está louca? Bebeu? Quer que teu marido me dê um tiro? Fala! Queres?". Estendia as mãos crispadas para Glorinha; e tinha, no seu pavor, um esgar de choro. Ela fez espírito: — "Mas não é possível! Você está com medo?". Eurilo teve a confissão heróica:

— Claro! Estou com medo, sim! Medo! Tu sabes o que é medo, sabes? — Sentou-se, tiritando: — Vou morrer, meu Deus! Vou levar um tiro!

Levantou-se, correu à porta, torceu a chave. Andava de um lado para outro, numa alucinação: — "Não saio mais daqui! Vou ficar aqui, como num túmulo!". E, de fato, durante três dias, encerrou-se no apartamento. Na sua abjeta pusilanimidade não escovava os dentes, não fazia a barba. Passava os minutos, as horas, implorando à menina: — "Volta pra teu marido! Volta!".

Glorinha resistia a princípio, com medo de represálias. Mas cansou-se de ver aquela covardia ululante: — "Você não é homem, nem nada!". Acabou voltando para o lar. Levava, na alma, o tédio, o enjôo, o nojo do pecado. Mas o marido, ao vê-la, esbravejou:

— Ah, ele te mandou de volta? Mandou? Cachorro!

Quarenta minutos depois, o marido entrava no apartamento do Eurilo, levando a mulher pela mão. Eurilo encostou-se à parede, chorando. O fulano espetou-lhe o dedo na cara:

— Não aceito devolução! Ou tu ficas com minha mulher, ou eu te dou um tiro na boca. Escolhe!

Eurilo caiu, de joelhos, num choro ignóbil: — "Fico, sim, fico!". O outro saiu dali assoviando, feliz da vida.

APAIXONADA

Na noite em que ficaram noivos, Jamil toma entre as suas as mãos de Ivone. Baixa a voz e faz a mais antiga das perguntas:

— Gostas de mim?

— Mas claro! Ou duvidas?

Ele insiste:

— Muito?

Foi definitiva:

— Demais!

Por um momento ficaram calados. E, súbito, comovido da cabeça aos pés, ele balbucia:

— Eu também te amo, te amo e te amo. — Pausa e completa com a voz estrangulada: — És tudo para mim, tudo!

Neste momento, aproxima-se Everardo, o irmão mais velho de Jamil. Inclinou-se diante de Ivone.

— Pode-se cumprimentar a noiva?

Ivone deixou-se beijar na testa pelo cunhado. E, então, exultando, Jamil enfia as duas mãos nos bolsos; vira-se para o irmão:

— Eu sou o sujeito mais feliz do mundo!

SURPRESA

Os dois irmãos saem juntos, por volta da meia-noite. Eram unidos como dois gêmeos. No ônibus, a caminho de casa, Jamil rompe na frenética exaltação da própria noiva: "Ivone é fabulosa!". Ao lado, já com sono, Everardo boceja:

— Grande pequena!

Passou. No dia seguinte, estava Jamil no trabalho, quando toca o telefone. Atende e cai das nuvens: era a noiva, em prantos, chamando: "Vem chispando! Vem!". Atônito, Jamil ainda pergunta: "Mas o que foi? Conta o que foi?". E ela:

— Pelo telefone não posso! Só pessoalmente!

Jamil larga o trabalho, larga tudo, e voa, de táxi, para a casa da noiva. Quebra a cabeça no caminho: "Que será?". Vai encontrar Ivone mais tranqüila. A menina ergueu-se ao vê-lo: "Vamos conversar lá dentro, vamos". Leva-o para o gabinete. E, lá, fechando a porta, recomeça a chorar:

— Meu anjo, nosso casamento é impossível, ouviu?

— Impossível como? Que piada é essa? E por que impossível?

Ivone assoa-se num lencinho:

— Pelo seguinte: eu gosto de ti, mas também gosto de outro, oh, meu Deus! Nunca pensei que se pudesse gostar de duas pessoas ao mesmo tempo. Mas pode-se, agora eu sei que se pode!

O OUTRO

O espanto antecipou-se ao sofrimento. Ele apanha um cigarro e o acende. Soprando a fumaça, trata de pôr em ordem suas idéias e sentimentos. Levanta-se, anda de um lado para o outro e, súbito, estaca diante da noiva. Pigarreia:

— Bem. Diz coisa com coisa, meu anjo. Você gosta de mim. Muito bem. E gosta também de outra pessoa? É isso?

Ivone fazia que sim com a cabeça. Ele continuou: "Pensa, raciocina. Isso não tem o menor cabimento. Ou você gosta de um ou de outro. De dois é que não pode ser". Ivone pôs-se de pé, em desespero:

— Pode ser, sim. Hoje eu já acho que qualquer mulher pode gostar de dois, três, quatro, cinco, ao mesmo tempo. Ou de duzentos, sei lá!

Silêncio. Jamil tem o medo brusco de perdê-la. Pergunta, dilacerado: "E quem é o outro?". Ivone recua, apavorada. Encostada à parece, soluça:

— Pergunte tudo, menos isso. Isso, não! Isso eu não posso responder!

O NOME

Durante duas horas, ele suplicou: "O nome, eu quero o nome! Quem é o camarada? Fala!". No fim de duas horas, Ivone, exausta, a boca torcida, capitula:

72

— É o Everardo.

— Quem?

A pequena atraca-se ao noivo e deixa-se escorregar ao longo do seu corpo. Abraçada às suas pernas, repete: "Everardo, sim! Teu irmão!". Ele perde a cabeça. Na sua fúria obtusa, suspende a pequena e a sacode:

— Responde! Por que, entre tantos homens, escolheste meu irmão? Por que não me traíste com outro? Por quê?

Ela baixa a voz, ofegante:

— Eu não traí... Não houve nada... Só houve um beijo, só... Foi o máximo, juro!...

Larga a pequena e faz menção de afastar-se. Ela, porém, o segura, com inesperada energia:

— Escute o resto. — E trinca as palavras· — Eu não posso viver sem ti, não posso viver sem ele!

Jamil desprende-se num repelão selvagem. Atirada numa cadeira, ela mergulha o rosto entre as mãos e chora, ainda. Da porta, antes de sair, ele diz:

— Isso é doença, tara! Adeus!

Felizmente, a família da noiva tinha saído e a criada estava no fundo do quintal. Assim ninguém ouviu nada.

DESESPERADO

Durante dois dias, Jamil não apareceu em casa, nem no emprego. Evitava os amigos, os conhecidos e, sobretudo, o irmão. Na sua idéia fixa, cambaleando pelas ruas, vivia repetindo: "Cínica! Cínica!". No terceiro dia, com a barba por fazer, um ríctus de crueldade, aparece diante da noiva. Ela, que o abraçara, sente o volume do revólver. Jamil respira fundo·

— Eu tenho três caminhos a escolher: ou mato o meu irmão; ou mato você; ou me mato.

Estavam num banco de jardim público. Atônita, Ivone ergueu-se. Quase sem voz, diz para si mesma: "Matar?... Morrer?...". Senta-se, de novo, ao lado do noivo. Crispa a mão no seu braço e vai dizendo fora de si:

— E se morrêssemos, todos? Eu, tu e ele? — Pausa e continua, num delírio de palavras: — Já que este amor é impossível, que nos importa a vida?

Jamil deixa-se contagiar. Vira-se, numa fascinação: "Que-

73

res morrer comigo? Queres?''. Estão falando quase boca a boca. Ela responde:

— Contigo e com teu irmão. Os três! Eu sei, ouviu? Sei que ele vai querer, há de querer!... E morreremos amigos os três, juntos...

O PACTO

Mais calmos, combinaram tudo. Jamil arranjou, emprestado em Copacabana, o apartamento de um amigo. Escolheu o veneno. E, quanto a Ivone, deveria conversar com Everardo e dar-lhe o endereço e hora. Enfim, no dia combinado, encontraram-se os três no tal apartamento. Ivone estava comovida, como se a idéia da morte a embelezasse. Houve pouquíssimas palavras. O próprio Jamil apanhou os três copos e foi enchê-los, lá dentro. Voltou pouco depois. Deu a cada um o copo que lhe cabia e ficou com o seu. Baixou a voz: "Vamos beber ao mesmo tempo". Antes, Ivone beijou um e outro, chamando a ambos de "meu amor". Em seguida beberam tudo. Mas aconteceu o seguinte: o único que caiu, com as entranhas em fogo, foi Everardo. Ivone estava em pé, com o copo vazio na mão, assombrada: "Não estou sentindo nada!". Então, enquanto Everardo agonizava no tapete, Jamil agarra a noiva:

— O único que bebeu veneno foi ele... Nós tomamos sal de frutas.

Ivone recua. Quer gritar, mas Jamil, mais rápido, fecha-lhe a boca com um beijo sem fim. Quando a larga, a noiva pede:

— Beija outra vez, beija!...

CIUMENTO DEMAIS

Levou o marido até a porta. Ainda esperou que ele, num adeus de dedos, dobrasse a esquina. E então, no seu quimono rosa, entrou no gabinete, trancou-se e ligou o telefone. Do outro lado, atende uma voz masculina. Lúcia ri, muito doce:

— Sou eu.

E a voz:

— Tu?

Começou assim o diálogo amorosíssimo. Súbito, ela se lembra do motivo do telefonema. Adverte:

— Olha: meu marido vai te convidar pra jantar com a gente hoje.

Ele interrompe:

— Não vou.

E a pequena:

— Vem, sim senhor! E não vem por quê? Que bobagem! Parece criança!

Mas Aristóbulos (era o Aristóbulos, amicíssimo do casal) parecia irredutível:

— Em absoluto! Aliás, já te disse umas quinhentas vezes que não quero ir à tua casa. Pra me aborrecer?

— Por que, criatura?

Explodiu:

— Ora, Lúcia! Você acha que é interessante pra mim ser testemunha das intimidades do teu marido contigo? Achas? Na última vez que estive aí, aquela besta te pôs no colo, fez misérias. Pra mim chegou. Pede outra coisa. Isso não! Tem paciência!

Era ciumento da cabeça aos pés — ciumento, como ele próprio admitia, de dar tiros, de subir pelas paredes. E não fazia nenhum segredo disso. Rosnava com os amigos: "Se eu gostar de uma cara, e se a cara me passar pra trás, eu faço e aconteço". Pois bem. Passa-se o tempo e, por fatalidade, Aristóbulos se apaixona por uma mulher que já tinha outro, por uma mulher casada e, mais, casada com o seu amigo de infância, Olavo. Correspondido, ele passou a viver num inferno. Junto da pequena, não se ocupava de outro assunto senão o marido. Apertava a cabeça entre as mãos, fulo:

— Afinal de contas, eu estou rachando você com o seu marido.

Lúcia tratava de apaziguá-lo:

— Marido não vale! É como se não existisse!

Ele bufava:

— Não amola! Como não vale? Vale, sim senhora! Perfeitamente. Vale sim. Minha situação é que é ignóbil. E eu te juro: eu preferia ser o marido enganado, que não sabe, ignora tudo, vive no melhor dos mundos. Mas eu não. Eu sei e agüento firme. Sou o maior sem-vergonha de todos os tempos!

Lúcia ralhava:

— Criança!

Então, amargurado, sentindo a humilhação na carne e na alma, ele prometia, ameaçava: "Mas ah! Essa sopa há de acabar!". Quando, porém, falou em tirá-la do lar, Lúcia foi categórica:

— Meu anjo, tudo, menos isso! Isso, não! Posso não amá-lo, mas tenho pena dele, muita pena. Uma pena que você não imagina!...

MELANCOLIA

E o fato é que aquele romance, que prometia delícias inenarráveis, passou a envenenar a vida e a alma de Aristóbulos. Ressentido, ele não apareceu mais na casa do outro. Não aceitava os convites que, na mais patética boa-fé, o Olavo fazia-lhe para jantar em dia de semana e almoçar nos domingos. Tratava de disfarçar: "Não posso. Tenho compromisso". Etc. etc. Uma vez, transigiu; foi. Mas se arrependeu, amargamente. Pois o Olavo, que, geralmente, era um marido discreto na frente dos outros, sóbrio, excedeu-se. Diante do aturdido Aristóbulos, pôs a esposa no colo, beijou-a no pescoço e na boca. Aristóbulos saiu de lá arrasado. Quanto a Lúcia, fez uma cena com o marido:

— Você bebeu? Está bêbado? Sabe que eu não gôsto de exibições! E pra que essa saliência?

Olavo enfiou um cigarro na piteira; perguntou:

— Mas, carambolas, você é ou não é minha esposa?

E ela, agitada, as faces em fogo:

— Sem-vergonhice eu não topo!

O JANTAR

Na véspera, à noite, Olavo virava-se para a mulher: "O Aristóbulos não vem aqui há vários meses. Prepara uma comida gostosa, que amanhã eu vou convidá-lo para jantar aqui". Lúcia, com a pulga atrás da orelha: "Mas vou te avisando: nada de show". Ele pareceu conforme:

— OK, OK.

Pela manhã, Lúcia telefona para avisar Aristóbulos e convencê-lo. Estrebuchando a princípio, o rapaz acabou cedendo aos apelos da mulher amada e à tentação de revê-la. Além disso, Lúcia foi terminante: "Pode vir sem susto. Desta vez não vai haver nada". Terminou assim: "Um beijinho para ti". Naquele momento, a caminho da cidade, Olavo estava pensando na carta anônima que recebera na véspera. Dizia, entre outras coisas, o seguinte: "Estás bancando o palhaço. Tua mulher e teu amigo Aristóbulos...". Vinham em seguida indicações tão minuciosas, dados tão precisos, que, subitamente, Olavo via tudo com apavorante lucidez. Há vinte e quatro horas que, ralado de febre, vivia debaixo da obsessão. Chegou no escritório e ligou para o amigo.

— Ou vens jantar comigo hoje, ou estamos de relações cortadas.

O outro foi cordialíssimo: "Vou sim, vou. Passa por aqui e me apanha". Na hora marcada, encontraram-se e, durante toda a viagem para a casa de Olavo, este não fez outra coisa senão espicaçar o amigo: "Como é? Como vão os teus ciúmes?". Com um baque no coração, Aristóbulos quis, ainda assim, disfarçar:

— Meus ciúmes vão mais ou menos, até segunda ordem.

Olavo piscou o olho: "Tu é ciumento de matar? Terias coragem de matar? Fala! Terias?". Aristóbulos relutou: "Só vendo, só vendo". Mas o outro insistia: "Confessa. Terias?". Então, virou-se, pálido; foi afirmativo, viril:

— Teria, sim. E por que não? O sujeito que encostasse a mão na minha mulher, eu passava-lhe fogo, tranqüilamente!

Olavo, divertido, esfregava as mãos, numa satisfação profunda.

CASAL DE TRÊS

Quando chegaram em casa, teve uma surpresa; jamais vira a mulher tão bonita, tão bem vestida. Deu-lhe um beijo na boca e, virando-se para o Aristóbulos, lambeu os beiços: "Batom de minha esposa!". Durante o jantar, Olavo voltou ao assunto, ou por outra, não falou noutra coisa:

— Mas se és assim — dizia —, se tens tantos ciúmes, não podes ter romance com mulher casada. Evidente!

O outro caiu na asneira de perguntar:

— Por quê?

E Olavo:

— Por quê? Mas é óbvio: e o marido, rapaz? Terias de ter ciúmes também do marido, claro! Afinal de contas, o marido é um homem!

Num constrangimento mortal, Lúcia pergunta à visita:

— Mais arroz?

Aristóbulos gaguejou a resposta. E Olavo prosseguia expansivo, jocoso: "Terias coragem de tomar a mulher de um marido e matá-lo? Responde, com sinceridade: matarias o marido?". O pobre-diabo suava:

— Sei lá! Não sei. Depende.

O interrogatório não tirava o apetite de Olavo. E pelo contrário. Ele se sentia com um desses apetites selvagens, vitais. Estendia o prato para a esposa: "Bota mais arroz". Sem prejuízo das garfadas, insistia:

— O lógico, rapaz, é que morra o amante. Ou a mulher. O marido por que, ora bolas? Só porque forneceu a esposa, sem saber e sem querer? E, além disso, eu, aqui entre nós, que ninguém nos ouça, eu não acredito que tivesses peito, que fosses bastante homem para matar ninguém. Nem o marido, nem ninguém!

Silêncio. Lúcia e Aristóbulos já não comiam mais. Só o outro jantava numa voracidade de possesso. Então, Aristóbulos perguntou, lívido: "Tu achas que eu não seria bastante homem?". Mastigando, o outro responde:

— Duvido!

Súbito, Aristóbulos ergue-se. Com um golpe de calcanhar, atira longe a cadeira, ao mesmo tempo que um revólver aparece na sua mão. Aperta o gatilho, uma, duas, três vezes. Ferido de morte, o marido arqueja, ainda:

— Foi minha... Tua e minha... De nós dois... Traía você comigo...

Morreu ali mesmo, com a boca cheia de arroz.

A ESBOFETEADA

Virou-se para as coleguinhas:

— Como meu namorado, eu confesso francamente: nunca vi! Tem um gênio! Que gênio!

Indagaram:

— Feroz?

E Ismênia:

— Se é feroz? Puxa! Precisa uns dez para segurar! — Olha para os lados e baixa a voz: — Vocês sabem o que é que ele fez comigo? Não sabem?

— Conta! Ah, conta!

Ismênia não queria outra coisa. Cercada de amigas interessadíssimas, resumiu o episódio:

— Foi o seguinte: ele cismou que eu tinha dado pelota para o Nemésio. E não conversou: me sentou a mão, direitinho!

— E tu?

Ergueu o rosto, feliz, envaidecida da bofetada:

— Eu vi estrelas!

Houve um silêncio e, ao mesmo tempo, um arrepio intenso naquelas meninas. Pareciam ter despeito, inveja, da agressão que a outra sofrera. Ismênia piscou o olho:

— Eu gosto de homem, homem. Escreveu, não leu, o pau comeu. Senão, não tem graça. Sou assim.

O VIOLENTO

Chamava-se Sinval, o namorado de Ismênia. À primeira vista, causava até má impressão. Faltava-lhe a base física da coragem. Era baixo, mirrado, um peito fundo de tísico, braços finos e mãos pequenas, de unhas tratadas. Custava a crer que esse fraco fosse um violento. Todavia, estava lá o testemunho de Ismênia, que, batendo no peito, repetia: "Eu apanhei! Eu!". Acontece que entre as colegas presentes estava Silene, amiga e confidente de Ismênia. E Silene foi justamente a que se impressionou mais com o episódio. Conhecia vagamente Sinval e a sensação que ficara, de sua figura, foi a de um rapaz como há milhares, como há talvez milhões. De repente sabe que esse cavalheiro, de aparência tão insignificante, bate em mulheres. Sem dizer nada a ninguém, experimenta uma crispação de asco e deslumbramento. Mais tarde, em casa, com a mãe e as irmãs, diz o seguinte:

— Eu acho que, se um homem me esbofeteasse, eu dava-lhe um tiro na boca!

A DOCE PEQUENA

Mentira. Não daria tiro na boca de ninguém. Impossível desejar-se uma alma mais doce, terna e tão incapaz de violência, de maldade. Mesmo sua exaltação fazia pensar na cólera de um passarinho. Durante três dias, não pensou noutra coisa. E pasmava que Ismênia se vangloriasse da bofetada, como se de uma medalha, uma condecoração. No quarto dia, não resiste. Apanha o telefone e liga para o emprego do Sinval. Queria apenas passar um trote, e nada mais. Do outro lado da linha, porém, Sinval, caricioso, mas irredutível, exigia:

— Se não disser o nome, eu desligo.

Ia recuar. Mas deu, nela, uma coragem súbita. Identificou-se: "Sou eu, Silene". Arrependeu-se imediatamente depois de ter dito. Tarde, porém. E já Sinval, transfigurado, exclamava:

— Silene? Não é possível, não pode ser!

— Sou, sim.

E ele.

— Então houve transmissão de pensamento! No duro que houve! Imagine que eu estava pensando em você, neste minuto! Agora mesmo!

Foi por aí além. Transpirando de sinceridade, contou que gostava dela em silêncio, há muito tempo. Com o coração disparado, a pequena indaga: "E Ismênia?". Foi quase brutal:

— Ismênia é uma brincadeira, um passatempo, nada mais. Você, não. Você é outra coisa. Diferente!

Espantada com essa veemência, Silene quis duvidar. Então, emocionado, ele dramatiza:

— Te juro, pela minha mãe, que é a coisa que mais prezo na vida. Te juro que é pura verdade!

DRAMA

Silene despediu-se, afinal, com as pernas bambas. O simples fato de ter ligado já a envergonhara como uma deslealdade. Afinal, era amiga de Ismênia e... Pior do que tudo, porém, fora identificar-se. Durante o resto do dia, não fez outra coisa senão perguntar, de si para si: "E agora, meu Deus?". No telefone, aceitara o convite de Sinval para um encontro no dia seguinte. Mas o sentimento de culpa não a largou, senão no momento em que decidiu: "Não vou, pronto. Não vou e está acabado". Mas foi. No dia seguinte, pontualmente, estava no local combinado, transida de vergonha. Sinval, num interesse evidente, profundo, foi ainda mais decisivo do que na véspera. Disse coisas deslumbrantes, inclusive, textualmente, o seguinte:

— Te vi, no máximo, umas oito vezes, dez, talvez. Falei contigo pouquíssimo. Mas, assim ou assado, o fato é que te amo, te amo e te amo!

APAIXONADA

Ela acreditou. E acreditou porque se passara o mesmo com seu coração. Apaixonara-se, de uma dessas paixões definitivas, reais e mortais. Continuou a encontrar-se com o ser amado, às escondidas. Só não era mais feliz porque pensava na outra. De noite, no quarto, especulava: "No dia em que Ismênia souber...".

Chegou esse dia. E foi, entre as duas, uma cena desagradabilíssima. Sem papas na língua, Ismênia disse-lhe as últimas: "Tu és mais falsa do que Judas!". Branca, o lábio inferior tremendo, Silene sentia-se incapaz de uma reação. A outra terminou, numa espécie de maldição:

— Hás de apanhar muito nessa cara!

CIÚMES

O incidente foi lamentável por um lado e bom por outro. Lamentável, pelo escândalo, pelo constrangimento. Bom, porque esclareceu de vez a situação. Excluída Ismênia, oficializou-se o romance. Os dois puderam exibir, ostentar, em toda a parte, o imenso carinho em que se consumiam. Começaram a freqüentar festas. E, então, surpresa e vagamente inquieta, Silene descobriu o seguinte: Sinval não se incomodava que ela dançasse com todo mundo. Estranhou e passou a interpelar o namorado:

— Você não tem ciúmes de mim?

— Não.

Admirou-se:

— Por quê?

E ele:

— Porque te amo.

Devia dar-se por satisfeita. E, no entanto, sua reação foi outra: estava descontente. Dias depois, suspira. "Eu preferia que tivesses ciúmes de mim". Sinval achou graça: "Ué!". Ela, sentindo-se irremediavelmente infantil, repete o que já ouvira, não sei onde: "Sem ciúmes, não há amor!". O rapaz passou-lhe um sermão: "Parece criança!". Até que, certa vez, a garota resolve ir mais longe. Pergunta ousadamente: "E se eu te traísse? Tu farias o quê?". Respondeu, sóbrio:

— Te perdoaria.

— E se eu voltasse a trair?

Foi absoluto:

— Se continuasses traindo, eu continuaria perdoando.

DESFECHO

Mas este diálogo, imprudente, perturbador, deveria marcá-la, e muito. A partir de então, foi outra alma, outra mulher. Era uma menina de modos suaves e bonitos. E, subitamente, passou a chamar a atenção de todo mundo, com atitudes desagradáveis, de escândalo. Nas festas, dançava com o rosto colado; e houve um baile em que bebeu tanto que teve que ser carregada, em estado de coma. Por outro lado, torturava o pobre Sinval, desacatando-o na frente de todo mundo. Ele, serenamente, com uma mesura à Luís xv, submetia-se às piores desconsiderações, incapaz de um revide. Até que, numa festa, ela se cansou desse inofensivo. Na sua cólera, humilhou-o:

— Você não é homem! Se fosse homem, eu não faria de você gato e sapato!

Ela bebera, outra vez, além da conta. Talvez por isso ou por outro motivo qualquer, Sinval limitou-se a sugerir: "Vamos, meu anjo?". Mas em casa, sozinha, ela imergia numa ardente meditação. Uma noite, vão a uma outra festa. E lá Silene superou todas as leviandades anteriores. Quase à meia-noite, de braço com o par acidental, vai para o jardim. Sinval espera vinte minutos, meia hora, uma hora. E não se contém mais: vai procurá-la. O par, assim que o viu, pigarreou, levantou-se e desapareceu. Silene ergueu-se também. Com um meio sorriso maligno, anuncia: "Ele me beijou". Sinval não disse uma palavra: derruba a noiva com uma tremenda bofetada. Ela cai longe, com os lábios sangrando. Enquanto ele a contempla e espera, a pequena, de rastros, com a boca torcida, aproxima-se. Está a seus pés. E, súbito, abraça-se às suas pernas, soluçando:

— Esperei tanto por essa bofetada! Agora eu sei que tu me amas e agora eu sei que posso te amar!

Passou. Mas nos seus momentos de carinho, e quanto estavam a sós, ela pedia, transfigurada: "Me bate, anda! Me bate!". Foram felicíssimos.

O ESCRAVO ETÍOPE

Saiu do colégio com quinze anos e trouxe para o mundo a sua inocência maravilhada. Ninguém mais sensível e exclamativa. De uma fragilidade física impressionante, qualquer esforço dava-lhe palpitações, falta de ar; uma simples aragem a resfriava. O médico da família, que a examinou várias vezes, repetia:

— Tem uma saúde muito delicada. É preciso cuidado, muito cuidado.

Havia, na família, o medo ou o presságio de que viesse a sofrer do peito como uma tia que morrera tísica. Filha de pais ricos, era tratada na palma da mão, com os mimos de uma princesa. E justamente por ser tão fina e frágil, de uma natureza tão delicada e suscetível, ninguém a contrariava. Aos dezesseis anos, teve o seu primeiro namorado. Era um primo, ótimo rapaz, educadíssimo, simpático e mesmo bonito, aristocrata nos modos, idéias e sentimentos. Ela se chamava Margô e ele Paulo. Pareciam feitos um para o outro. Para as duas famílias foi, como se disse, "um achado". Não houve duas opiniões. Todos disseram: "ótimo, ótimo". E o pai, que tinha a religião do dinheiro e a idéia fixa da pompa, exigia, esfregando as mãos·

— Quero um casamento de arromba! — E sublinhava: — Um casamento que deixe todo mundo besta!

PREPARATIVOS NUPCIAIS

Enfim, foi proclamado o noivado. O velho — que era de origem plebéia e tivera de criar, tostão a tostão, a própria fortuna — queria um vestido de noiva inédito e deslumbrante, que embasbacasse a cidade. Acirrava as mulheres, dando murros na mesa: "Gastem sem dó, nem piedade". Na sua mania, fazia cálculos alucinados: "Um vestido de uns cem, duzentos contos". Tal desperdício arrepiava as presentes. A própria noiva sentia-se desfalecer. Mas ele, desvairado, batia nos próprios bolsos: "Gastem! Eu pago! Pago!". Sob esse estímulo, todas as mulheres da casa se entregaram a um verdadeiro delírio. A mania de grandeza se transmitiu e se generalizou. Catou-se por entre páginas de revistas o figurino ideal. Afinal, descobriu-se um modelo encantador. O velho olhou e deu sua adesão: "Bacana". A filha, muito mais aristocrática que o pai, suspirou:

— Como é bonito, meu Deus!

Um batalhão de costureiras pôs-se a trabalhar, dia e noite, no vestido mágico. Quando uma delas cansava, o velho vinha lá de dentro com a idéia do suborno. "Eu pago extraordinário! Dou gorjeta, o diabo!" Já a cerimônia estava com data marcada. E quando o vestido ficou pronto uma meia dúzia de parentas mais chegadas, inclusive a mãe, se fecharam com a noiva no quarto. Então lânguida, delicada, com seu aspecto de flor de luxo, Margô vestiu peça por peça. Houve um momento em que só ficaram faltando a grinalda e o véu. Ao redor, havia histerismos. Primas, tias, cunhadas suspiravam:

— Que amor! Que amor!

Na verdade, era algo de indescritível. No meio de tanta alvura, a fragilidade física de Margô era ainda mais tocante. Faltavam uns quinze dias para o casamento. E, à noite, depois do jantar, ela se queixou de palpitações. As pessoas próximas se entreolharam num pavor de pneumonia. Alguém sugeriu: "Vai ver que foi um golpe de ar!". Passou. Mas na hora de se despedir do noivo Margô fez-lhe o pedido:

— Precisava de um favor teu.

Ele, sempre cavalheiresco, limitou-se a dizer:

— Dois.

Margô baixou a vista, fugindo do seu olhar intenso:

— Eu queria adiar o nosso casamento.

MISTÉRIO

Justiça se lhe faça: ele foi impecável. Explicou que, naturalmente, estaria muito interessado em que o casamento fosse o mais rápido possível. "Mas já que você quer. meu anjo..." Um pouco vaga, Margô explicou que não se sentia bem, que devia ter alguma coisa e, enfim, que andava nervosa etc. etc. Paulo, com sua polidez irrepreensível, afirmou: "Por mim não há dúvida". Quem se doeu, com a transferência, foi o velho. Estava mais ansioso pelo casamento do que os noivos. Gemeu, desabando numa cadeira:

— Que caso sério! Que caso sério!

Margô foi ao médico, que a examinou meticulosamente. Não achou, no seu estado, a menor novidade. Continuava fisicamente delicada, mas não apresentava nenhum sintoma que sugerisse doença. Passaram-se dois, três, cinco meses. A família do noivo estranhava:

— Que diabo! Vocês se casam ou não se casam?

Ele parecia abdicar dos próprios direitos:

— Quem decide é Margô.

Protesto geral:

— E você não pia? Ora veja! Não está certo, não está direito!

Sob a pressão dos parentes, foi conversar com a noiva:

— Meu anjo, precisamos marcar uma nova data.

Ela suspirou:

— Já? Vamos esperar mais um pouco.

Como ele insistisse, embora com um máximo de tato e delicadeza, Margô acabou concordando. Houve um conselho de família, com a presença dos noivos, fixou-se o casamento para daí a três meses. Todos se animaram de novo. Houve a febre dos preparativos. Mãe, tias e amigas se reuniam planificando a festa. Foram ver se o vestido de noiva estava com alguma mancha; fizeram, nele, uma revisão minuciosa, com medo de alguma possível barata. O pai, com sua vocação para o desperdício, foi de uma liberalidade estupenda, outra vez:

— Acho mais negócio fazer outro vestido!

A mãe, que era uma senhora fina, interrogou os noivos: "Como é? Vocês vão viajar?". Margô teve que admitir: "Não pensamos nisso". Então, a santa senhora fez-lhe uma repreensão: "Minha filha, acho você uma noiva tão não sei como; muito desanimada". Sorriu, lânguida: "Sou assim, mamãe". E a outra: "Está errado. Você deve se corrigir. Onde já se viu?". Finalmente, deu, para a filha e o futuro genro, a sugestão:

— Se eu fosse vocês, sabem o que eu fazia? Uma viagem!
— E já animada, já excitada pela própria idéia, continuou: —

Casamento sem viagem de núpcias é tão sem graça! Vocês podiam ir à Europa, aos Estados Unidos!

O noivo pareceu impressionado; comentou, grave: "Boa idéia". Virou-se para Margô: "Você não acha, Margô?". Ela respondeu:

— Não. Acho pau. Gosto de ficar em casa.

Dois dias depois, pediu que se adiasse, de novo, o casamento. Houve assombro na família. Crivaram-na de perguntas: "Mas adiar por quê? Qual o motivo?". Ela, desesperada, procurou um motivo, como se estivesse disposta a inventá-lo; disse, por fim: "Ando nervosa". Insistiram e a menina acabou perdendo cor, pulso, até desmaiar. Uma semana depois, a mãe foi sondá-la: "Você gosta mesmo do Paulo, minha filha?". Disse que sim, que gostava, mas que...

Ainda uma vez, o noivo foi magnífico: concordou com o adiamento.

A SOGRA

Quem não gostou foi a futura sogra. Chamou o filho. Instigou-o: "Essa menina está fazendo você de gato-sapato. Isso não é papel! Onde é que nós estamos?". Ele, que adorava a noiva, que a colocava acima de tudo e de todos, cortou o debate: "Vamos mudar de assunto, sim, mamãe?". A velha, porém, era tremenda. Largou o filho, com as seguintes palavras: "Está certo, não se fala mais nisso. Mas quero te dizer uma coisa: aqui há dente de coelho". E o fato é que, sem dizer nada a ninguém, ela andava desconfiadíssima. De quem ou de que, nem ela própria saberia dizê-lo. Nesta mesma tarde, porém, recorreu a vários conhecidos, atrás de uma informação, até que descobriu um detetive particular. Chamou o homem; perguntou:

— O senhor é discreto?

— Um túmulo!

— Ótimo. Eu preciso mesmo de um túmulo. Trata-se do seguinte...

Incumbiu o sujeito de acompanhar os passos de Margô; advertiu: "Pode ser palpite meu, mas não custa apurar". O fulano concordou, grave: "Evidente! Evidente!". Deixou-o com a super-recomendação: "Ninguém pode saber disso!". Quarenta e oito horas depois, o detetive reaparecia, de olho esgazeado. Contou, longamente, o que apurara. De vez em quando, interrompia o relatório para exprimir seu estupor: "De arder! De arder!". Assombrada, a velha balbuciou: "Eu só acredito vendo com os meus próprios olhos!". E o detetive: "Amanhã, eu mostro o homem à senhora!".

O BEM-AMADO

No dia seguinte, encontraram-se a velha e o detetive na porta de uma companhia de ônibus. Súbito, o profissional indica: "Olha o homem!". Ela espiou. Lá vinha ele, no meio de outros motoristas, um negro gigantesco. Segundo apurara o detetive, ele saíra, no último carnaval, no rancho, de escravo etíope, com o dorso nu e retinto. A velha, fora de si, gaguejava: "Quer dizer que é esse o namorado de minha nora?". O detetive pigarreou:

— Isto é, mais do que namorado. Eu apurei tudo, direitinho. Tenho endereço, o diabo. E posso provar.

Então, a velha cambaleou. Seu estômago se contraiu, sofreu, ali mesmo, uma náusea violenta. Afastaram-se; ela pagou o preço que ele impôs e partiu num táxi. Como era uma mulher viril, de muito gênio, preferiu ir, de uma vez, à casa da menina. E, lá, fez um escândalo medonho. Quiseram expulsá-la; foi chamada de louca. Ela, em desespero de causa, virou-se para a própria Margô, que, sem uma palavra, ouvia tudo:

— É verdade ou não é?

Todos se voltaram na direção da menina. Então, aquela mocinha frágil, fina, que desfalecia ao aspirar um perfume mais intenso, ergueu o olhar firme, quase cruel. Disse apenas, sem medo:

— É verdade.

A ex-futura sogra saiu dali feliz e vingada. Foi um escândalo pavoroso. O pai veio, esbravejante. Falou em dar tiros. Ela o conteve com a ameaça: "Se fizer isso, eu me mato!".

Ante a perspectiva do suicídio, a família capitulou. Tiraram o rapaz da companhia de ônibus, arranjaram um emprego. E, um dia, casaram-se às escondidas. No seguinte Carnaval, quando o sogro passava, de Cadillac, pela praça Onze, viu o genro, num rancho — fantasiado de escravo etíope.

AGONIA

Uma semana antes do casamento, foram os dois ao cinema ver um filme, se não me engano, de Clark Gable. No fim, o mocinho era assassinado da maneira mais ignominiosa e pelas costas. E, assim, varado de balas, Clark Gable agonizou e morreu no colo da mocinha.

Alberto saiu do cinema indignado:

— Ora bolas!

— Que, meu filho?

E ele:

— Ah, se eu soubesse que acabava assim, não vinha, nem amarrado!

— Eu gostei.

O rapaz parou, no meio da calçada:

— Gostou? Oh, toma jeito, Conceição. Tira o cavalo da chuva! Te digo mais: foi o fim mais besta que eu já vi na minha vida!

Ela, temperamento macio, doce, não insistiu. Tinha horror às discussões. Mas, no fundo, gostara mesmo do desfecho sinistro. As fitas que acabavam mal, em morte, agonia e luto, causavam nela um duplo sentimento de fascínio e repulsa. A coisa que mais adorava era ver a heroína, de luto fechado, chorando o bem-amado morto. Ou vice-versa. E quando não havia, em causa, um morto ou morta, ela, na platéia, ao lado de Alberto, bocejava, desinteressada de tudo e de todos, querendo voltar para casa.

Era uma boa menina, delicada, de uma fragilidade física impressionante. Constava, mesmo, que sofria do coração e a família, preocupada, vivia atrás dela, cheia de cuidados e prevenções: "Fulana, não faz isso! Não faz aquilo! Sobe a escada devagar!".

Se apanhava um resfriado trivial, se acusava uma coriza sem maiores conseqüências, pai, mãe, tias se arremessavam em pânico. Era colocada na cama, quase que à força; fechavam todas as janelas, por causa dos golpes de ar; e, de dez em dez minutos, impingia-se o termômetro na axila da pequena. Havia, naquela família de emotivos, de nervosos, a idéia de que Conceição ia morrer, de repente, em plena mocidade.

Uma das tias, velha solteirona, já chorava por conta.

Quanto ao noivo, o Alberto, formava com a menina um contraste escandaloso. Tostado de sol, um físico de Victor Mature, carnudo, atlético, tudo nele parecia exprimir um apetite vital tremendo. Com uma saúde de ferro, não pensava na morte, julgava-se mais ou menos eterno.

Ao voltar do cinema com a noiva, sete dias antes do casamento, fez-lhe um pedido formal:

— Queres me fazer um favor?

— Faço.

Insistiu.

— Um favor de mãe pra filho?

— Claro!

— Então não me fala mais em morte, sim? Arranja outro assunto, meu anjo. Que diabo!

Ele reclamava e, vamos e venhamos, com razão. Porque, desde o começo do namoro, o assunto de Conceição era esse. Ou falava na morte alheia ou se divertia imaginando a própria.

Fazia as perguntas mais surpreendentes, como, por exemplo, esta:

— Será que eu vou ficar feia quando morrer?

O rapaz, mais do que depressa, procurava uma madeira, batia, ao berro de:

— Isola!

De fato, ela queria ser e fazia questão de ser uma morta bonita, dessas que "parecem dormir". E, se não falava de si mesma, falava dos outros. Já contara e recontara ao noivo, não sei quantas vezes, todas as agonias e todas as mortes da família. Sobretudo a morte do avô. Durante quinze dias, o velho teve um soluço que resistia bravamente a tudo. O médico da família dera injeção, o diabo, mas em pura perda. Até que veio a morte e o ancião pôde descansar.

Durante vários dias, a família, na obsessão auditiva daquele soluço imortal, julgava ouvi-lo, muito depois do enterro, nas salas, nos quartos, nos corredores.

E Alberto, apesar de sua vitalidade quase bestial, deixou-se impressionar por essa infinita agonia.

Sonhou com o soluço sobrenatural. Via o gogó do moribundo subindo e descendo. O pior é que, no fim de certo tempo, ele também começou a se interessar, a se apaixonar pelas histórias fúnebres.

De vez em quando, procurava reagir, como no caso do filme de Clark Gable. Mas, quantas vezes, sem sentir, ficou horas ouvindo Conceição falar dos parentes mortos?

Ia para casa pensando em assombração e fazia, com uma graça triste, a reflexão:

— Eu acabo maluco e a família não sabe!

O CASAMENTO

Até que chegou o dia do casamento, ou como disse o médico da família, numa satisfação profunda, o "grande dia".

No quarto, vestindo-se, Conceição criava uma hipótese deslumbrante: a de morrer no altar com grinalda e véu. Essa morte muito linda tentou-a de uma maneira quase irresistível. Quando uma das tias, com infinito cuidado, colocou a grinalda, Conceição não se conteve, fez a pergunta quase alegre e frívola:

— E se eu morresse hoje?

Em redor, houve um burburinho:

— Cruz-credo!

Foi repreendida:

— Você tem cada uma!

Deixou-se levar para a igreja, ia numa ardente meditação. Entretanto, não morreu no altar, embora tanto o desejasse. Voltou para a casa dos pais, toda iluminada.

O noivo a olhava muito e parecia dizer: "Minha!". Estava em plena euforia da propriedade.

Na saída, debaixo de uma apoteose de arroz, ele quase pragueja, pois se lembrara, sem que nem pra que, do soluço imortal do avô. Rosnou para si mesmo: "Carambolas!".

Mas a felicidade subiu-lhe à cabeça: esqueceu o velho defunto.

Durante quarenta e oito horas, foram o homem e a mulher mais felizes do mundo. Maravilhada com o amor, Conceição não falava na morte. Sem sentir, relegara-a para um plano inteiramente secundário. Já admitia que a vida fosse assim, sempre, e que jamais os problemas práticos pudessem interferir na lua-de-mel.

Todavia, quarenta e oito horas depois, cometeu uma imprudência: levantou-se, de manhã cedinho, no seu pijama leve, de um cinza transparente, e foi descalça para o banheiro. As chinelinhas de arminho ficaram embaixo da cama.

Lá no banheiro, escovou os dentes, sem pressa e sempre com os pés nus no ladrilho frio.

Depois, ocorreu-lhe um voluptuoso capricho: — chamou o marido e, juntos, tomaram banho. Brincaram um tempão debaixo do chuveiro.

Outra qualquer faria isso e muito mais, sem conseqüências. Conceição, porém, era de uma fragilidade apavorante.

No café, ao pôr manteiga nas fatias torradas, experimentou um arrepio. Fez o brevíssimo comentário:

— Ué!

Mais tarde, veio a coriza. Depois, uma febrícula. À meianoite e pouco, ela, com a temperatura mais elevada e atormentada pelo frio, chamou o marido, que, ao lado, cochilava.

Baixou a voz:

— Eu vou morrer, Alberto!

— Que idéia!

— Vou sim, Alberto. Sei que vou morrer!

Ele acabou praguejando:

— Perde essa mania de morte, Conceição! Isso que você tem é um resfriado bobo!...

Alta madrugada, ela o acordou de novo. A febre a embele-zava, dava-lhe graça triste e ardente. Estava com a obsessão da morte. Repetia com uma doce e monótona tristeza: "Vou mor-rer, vou morrer...".

O marido, já com um começo de medo, ensaiou o protes-to prosaico:

— Sossega!

Ela, surda às objeções, aos contra-argumentos, explicava que uma só coisa a apavorava na morte: era ser enterrada. Des-de criança ouvia falar em "terra fria", em "sete palmos de ter-ra", em "túmulo", "jazigo perpétuo" etc. etc. Parecia-lhe que os defuntos deviam sentir a falta de ar e de luz.

Seria tão bom que os mortos pudessem ficar em casa, na sala, no quarto, com as mãos em repouso, entrelaçadas. Era a febre, com certeza, que a fazia dizer essas loucuras.

Malgrado seu, o marido se deixava impressionar. Dir-se-ia que a febre da esposa se transmitia a ele e o embriagava tam-bém. Pensou: "Acabo doido!".

Quase ao amanhecer, Conceição, mais febril do que nun-ca, fez-lhe o pedido:

— Se eu morrer, não quero ser enterrada. Você esconde o meu corpo debaixo de qualquer coisa...

Ele, alarmado, não sabia o que dizer:

— Morrer como? Ninguém vai morrer, ora essa, que bo-bagem!

Conceição teimava, abraçada a ele, falando quase boca com boca:

— Jura que não serei enterrada, jura!

Acabou admitindo:

— Juro.

— Por Deus?

— Por Deus!

Por sua vez, cansado, ele cochilou mais meia hora. Foi o bastante para sonhar com o soluço do avô.

Acordou e, durante alguns momentos, teve uma alucina-ção auditiva. Ouvia o soluço. Não podia ser, meu Deus, era im-possível! Só então percebeu: quem estava com soluço era Con-ceição.

Quis chamar um médico, ou alguém, mas a mulher, já acordada, não deixou. E, na verdade, ele já não acreditava em nenhum remédio terreno para o mal sutil e inexplicável que estava levando a pequena.

Vez por outra, dizia de si para si: "Não estou raciocinando direito". Mas já a própria loucura não o assustava. Talvez a desejasse como uma solução. Durante dois dias não saiu do quarto. Encerrado, ali, o casal tinha uma companhia única: o soluço. Alberto dormia e, no próprio sonho, o escutava.

Ao despertar, lá estava ele. Mas, uma manhã, acordou e não ouviu nada. Compreendeu que a esposa estava morta.

MONTE CRISTO

Cinco dias depois, os vizinhos começaram a sentir um cheiro horrível.

Investiga daqui, dali, acabaram desconfiando.

Entraram no quarto e encontraram a esposa morta e o marido, sentado no chão, de barba crescida, quase à Monte Cristo.

Os mais sensíveis levaram o lenço ao nariz. Alberto, quase sem voz, explicou que a mulher pedira para não ser enterrada. Levaram-no, do quarto, moribundo e variando. Sua última pergunta foi esta:

— Não estão ouvindo um soluço?

O MONSTRO

A esposa soluçou no telefone:

— Vem depressa! Chispando! Vem!

Não perdeu tempo. Berrou para o sócio: "Agüenta a mão, que eu não sei se volto". Acabou de enfiar o paletó no elevador. E quebrava a cabeça, em conjeturas infinitas: "Que será?". Não quisera perguntar a Flávia com medo de uma notícia trágica. Já no táxi calculava: "Algum bode!". Mas a hipótese mais persuasiva era a de uma morte na família da mulher. O sogro sofria do coração e não era nada improvável que tivesse sobrevindo, afinal, o colapso prometido pelo médico. Imaginou a morte do velho. E a verdade é que não conseguiu evitar um sentimento de satisfação envergonhada e cruel. Desceu na porta de casa tão atribulado que deu ao chofer uma nota de duzentos cruzeiros e nem se lembrou do troco. Invadiu aquela casa grande da Tijuca, onde morava com a mulher, os sogros, três cunhadas casadas e uma solteira. Desde logo, percebeu que não havia hipótese de morte. A inexistência de qualquer alarido feminino, numa casa de tantas mulheres, era sintomática. Descontente, fez o comentário interior: "Ora bolas!".

Foi encontrar, porém, a esposa no quarto, num desses prantos indescritíveis. Sentou-se, a seu lado, tomou entre as suas as mãos da mulher: "Mas que foi? Que foi?". Primeiro, ela se assoou; e, então, fungando muito, largou a bomba:

— Meu filho, nós temos um tarado, aqui, em casa!

Maneco empalideceu. Por um momento, teve a suspeita de que o "tarado" fosse ele mesmo, Maneco. Chegou a pensar: "Bonito! Descobriu alguma bandalheira minha!". Engoliu em seco, balbuciou: "Mas quem?". E ela:

— O Bezerra!...

Quando percebeu que não estava em causa, ganhou alma nova. Uma súbita euforia o dominou: e preparou-se ávido para ouvir o resto. O Bezerra era casado com Rute, a irmã mais velha de Flávia. Maneco quis saber: "Por que tarado?". Flávia explodiu:

— Esse miserável não soube respeitar nem este teto! — E apontava, realmente, para o teto. — Sabe o que ele fez? Faz uma idéia? — Baixou a voz: — Aqui, dentro de casa, quase nas barbas da esposa, deu em cima de uma cunhada, com o maior caradurismo do mundo. Vê se te agrada!

Assombrado, perguntou: "Que cunhada?". Pensava na própria mulher. E só descansou quando Flávia disse o nome, num sopro de horror:

— Sandra, veja você! Sandra! Escolheu, a dedo, a caçula, uma menina de dezessete anos, que nós consideramos como filha! É um cachorro muito grande!

— Papagaio! — gemeu o marido, no maior espanto de sua vida. Ergueu-se: — Sabe que eu estou com a minha cara no chão? Besta?

Agora ela o interpelava: "É ou não é um tarado?". Então, com as duas mãos enfiadas nos bolsos, andando de um lado para outro, Maneco arriscou algumas ponderações:

— Olha, meu anjo, eu sempre te disse, não te disse? Que cunhada não deve ter muita intimidade com cunhado? — E insistiu: — Claro! Evidente! Onde já se viu? Porque, vamos e venhamos: — o que é que é uma cunhada? Não é a mesma coisa que uma irmã. E ninguém é de ferro, minha filha, ninguém é de ferro! Tua irmã menor, por exemplo. Quando ela comprou aquele maiô amarelo, de lastex ou coisa que o valha, deu uma exibição, aqui dentro, para os cunhados. Isso está certo?

Flávia ergueu-se, apavorada:

— Mas vem cá. Você está justificando esse cretino? Está? Então você é igual a ele! Tarado como ele!

Em pânico, Maneco arremessou-se: "Deus me livre! Não estou justificando ninguém e quero que o Bezerra vá para o raio que o parta!". Recuando, a mulher, perguntava: "Quando você olhou para Sandra, no tal dia, você sentiu o quê? Hein?". O rapaz ofegou:

— Eu? Nada, minha filha, nada! Eu sou diferente. Eu me casei contigo, que és a melhor mulher do mundo. Ouviste? — Falava com a boca dentro da orelha da esposa. — Nenhuma mulher é páreo pra ti. Nenhuma chega a teus pés. Dá um beijinho, anda.

Agarrou-a, deu-lhe um beijo, cuja duração prolongou ao máximo de sua própria capacidade respiratória. Quando a largou, mais morta que viva, com batom até na testa, Flávia gemeu, maravilhada: "Sabes que eu gosto do teu cinismo?".

E ele jocoso:

— Aproveita! Aproveita!

O DRAMA

Mas a situação era de fato crítica. A família, sem exclusão das criadas, passou a abominar o tarado. Até o cão da casa, um vira-lata disfarçado, parecia contagiado pelo horror; e andava, pelas salas, soturnamente, de orelhas arriadas. Quanto ao pobre culpado, estava, na garagem da casa, em petição de miséria. Atirado num canto, num desmoronamento total, cabelo na testa, gemeu para Maneco: "Só faltam me cuspir na cara!". Maneco olhou para um lado, para o outro e baixou a voz:

— Mas que mancada! Como é que você me dá um fora desses!

Estrebuchou: "Eu não dei fora nenhum!". Agarrou-se ao cunhado: "Por essa luz que me alumia, te juro que não fiz nada. Ela é que deu em cima de mim, só faltou me assaltar no corredor. Tive tanto azar que ia passando a criada. Viu tudo! Uma tragédia em trinta e cinco atos!".

Ralado de curiosidade, Maneco baixou a voz:

— E o que é que houve, hein?

O outro foi modesto:

— Não houve nada. Um chupão naquela boca. Eu beijava aquele corpo todinho. Começava no pé. Mas não tive nem tempo. Estão fazendo um bicho-de-sete-cabeças, não sei por quê!

Maneco esbugalhava os olhos, numa admiração misturada de inveja: "Você é de morte!". Doutrinou o desgraçado: "Teu mal foi entrar de sola. Por que não usaste de diplomacia?". Bezerra apertou a cabeça entre as mãos:

98

— Só estou imaginando quando o velho souber!

Admitiu:

— Vai subir pelas paredes!

O SOGRO

E de fato o dr. Guedes era o terror e a veneração daquela família. Esposa, filhas e genros, numa unanimidade compacta, tributavam-lhe as mesmas homenagens. Era, de alto a baixo, uma dessas virtudes tremendas que desafiam qualquer dúvida. Infundia respeito desde a indumentária. Com bom ou mau tempo, andava de colete, paletó de alpaca, calça listrada e botinas de botão. Com os cunhados, Maneco desabafava: "Sabe o que é que me apavora no meu sogro?". Explicava: "Um sujeito que usa ceroulas de amarrar nas canelas! Vê se pode?". Por coinci dência, dr. Guedes chegou tarde nesse dia. Já então Maneco, com a natural pusilanimidade de marido, solidarizava-se com o resto da família. Grave e cínico, concordava em que o Bezerra batera "todos os recordes mundiais de canalhice". Pois bem. Chega o dr. Guedes com o seu inevitável guarda-chuva de cabo de prata. Vê, por toda a casa, fisionomias espavoridas. A filha mais velha chora. Por fim, o velho pergunta, desabotoando o colete:

— Que cara de enterro é essa?

CALAMIDADE

Então, a mulher o arrastou para o gabinete. Conta-lhe o ocorrido; concluiu: "Eu admito que um marido possa ter lá suas fraquezas. Mas com a irmã da mulher, não! Nunca!". Repetia: "Com a irmã da mulher é muito desaforo!". O velho ergueu-se, fremente: "Cadê esse patife!". Trincava as sílabas nos dentes: "Cachorro!". No seu desvario, procurava alguma coisa nos bolsos, nas gavetas próximas:

— Dou-lhe um tiro na boca!

E a mulher, chorando, só dizia: "Foi escolher justamente a caçula, uma menina, quase criança, meu Deus do Céu!". Mas já o velho abria a porta e irrompia na sala, dando patadas no assoalho: "Tragam esse canalha!" Houve um silêncio atônito. Flávia cutucou o marido: "Vai, meu filho, vai!". Arremessou-se Maneco. Foi encontrar o outro no fundo da garagem, de cócoras, como um bicho. Bateu-lhe, cordialmente, no ombro: "O homem te chama". Foi avisando: "O negócio está preto. Ele quer dar tiros, o diabo a quatro!". Bezerra estacou, exultante: "Se ele me der um tiro, é até um favor que me faz. Ótimo!". Numa súbita necessidade de confidência, apertou o braço de Maneco: "Eu sei que Sandra é uma vigarista, mas se, neste momento, ela me desse outra bola, eu ia, te juro, com casca e tudo!...".

HUMILHAÇÃO

Na sala, foi uma cena dantesca. O sogro o segurava, com as duas mãos, pela gola do paletó: "Então, seu canalha? Está pensando que isso aqui é o quê? A casa da mãe Joana?". Houve um momento em que o desgraçado, soluçando, caiu de joelhos aos pés do velho. As mulheres paravam de respirar, vendo aquele homem receber pontapés como uma bola de futebol. Rosnavam-se profusamente as palavras *monstro*, *tarado* etc. etc. Só uma estava quieta, impassível. Era Sandra, a caçula. Com um palito de fósforo limpava as unhas, muito entretida. De repente achou que era demais. Ergueu-se, foi até a porta do gabinete e, de lá, chamou: "Quer vir aqui um instante, pai?". E insistiu: "Quer?". Justamente, dr. Guedes escorraçava o genro: "Rua! Rua!". Mas a caçula, sem mais contemplações, agarrou-o pelo braço, numa energia tão inesperada e viril, que ele se deixou dominar. Entraram no gabinete e a própria Sandra fechou a porta. Estava, agora, diante do espantado dr. Guedes. Foi sumária: "Papai, eu sei que o senhor tem uma fulana assim assim que mora no Grajaú. Percebeu? E das duas uma: ou o senhor conserta essa situação ou eu faço a sua caveira aqui dentro!...". Olhou para essa filha, que assim o ameaçava, como se fosse uma desconhecida. Ela concluía: — "Bezerra não vai deixar a casa coisa nenhuma. Eu não quero!". O velho reapareceu, cinco minutos depois, já recuperado. Pigarreou:

— Vamos pôr uma pedra em cima disso, que é mais negócio. O que passou, passou. Está na hora de dormir, pessoal.

Então, um a um, os casais foram passando. Por último, Bezerra e a mulher. Ao pôr o pé no primeiro degrau, Bezerra dardejou para Sandra um brevíssimo olhar. E só. A caçula retribuiu, piscando o olho. Cinco minutos depois, estava o velho, grudado ao rádio, ouvindo o jornal falado das onze horas.

O CHANTAGISTA

A futura sogra, que era professora e tinha um gênio adorável, dizia sempre:

— O essencial no casamento é a compreensão.

E insistia, acima de tudo, num ponto que lhe parecia essencial:

— Nada de discussões! Nada de bate-bocas!

Fernando ouvia tudinho e, mais tarde, com os amigos, dava demonstrações do maior entusiasmo: "Tenho uma sogra que é a minha segunda mãe!". Os amigos ficavam impressionados. Uns, meio céticos, perguntavam: "No duro?". Fernando confirmava, com uma ênfase irresistível:

— Palavra de honra! E quero ser mico de circo se é mentira!

De fato, d. Zuleica exercia, naquele namoro, uma influência das mais estimáveis. Como sua ascendência era grande sobre a filha e sobre o genro (futuro genro), eles não faziam nada sem consultá-la antes. A sós com a filha, dizia-lhe: — "Certas intimidades, não! E nada de beijo de língua!". Mesmo na sua ausência, Dolores ponderava:

— Mamãe acha que isso não está direito etc. etc.

Então, Fernando submetia-se, com impressionante instantaneidade. Assim, sob o signo de uma sogra cordial, solidária e clarividente, os dois namoraram seis meses sem um atrito, sem um ciúme, sem uma irritação, noivaram um ano com o mesmo ar idílico e, finalmente, casaram-se. Quando os dois partiram, de táxi, para um hotel de montanha, d. Zuleica voltou para o interior da própria residência. Sentou-se e fez, com certa melancolia, a seguinte reflexão:

— Agora posso morrer!

Era uma ilusão da admirável senhora. Na verdade, ela não podia morrer. A filha estava casada, é certo, mas tanto ela como o marido precisavam da solicitude, da assistência contínua e desvelada daquela mãe e sogra. Um e outro não possuíam, de si, nada; sem nenhuma experiência de vida, pareciam não ter nenhum sentimento, nenhuma idéia própria. E quando d. Zuleica, acometida de um edema pulmonar fulminante, entregou a alma ao Criador, eles se entreolharam, em pânico. Era como se fizessem a pergunta recíproca e irrespondível: "E agora?". D. Zuleica fora, nas suas vidas, mal comparando, um dicionário vivo, que os elucidava diariamente sobre o sentido das coisas. Como pensar, como sentir, como agir, se a benquista senhora lhes faltava, e para sempre? Voltando do cemitério, Fernandinho suspirou:

— Minha filha, estamos fritos! Não sei o que vai ser de nós!

A menina, imaginativa e romântica, pensava que, naquele momento, a mãe e o pai deviam estar, no céu, de mãos dadas, morando talvez numa estrela da tarde. Tendo enviuvado cinco anos atrás, d. Zuleica vivia na saudade infinda do marido. Para ela, ninguém mais nobre, mais enfeitado de virtudes, do que o falecido Clementino. Tanto que, ao mandar levantar o mausoléu, que custara um dinheirão, ela fizera o epitáfio em versos, gravados em letras de bronze. E, agora, após uma separação de cinco anos, estavam os dois unidos, outra vez, sendo que os corpos na terra e as almas no céu. Ao entrar em casa, Fernandinho fez o comentário filosófico para a mulher:

— Essa vida é uma boa droga!

AS CARTAS

D. Zuleica foi enterrada numa quinta-feira. No sábado, pela manhã, Fernandinho, depois de vencer vários e naturais escrúpulos, arrisca:

— Minha filha, acho que vou dar um pulinho no estádio.

Ela quase quase exprobou-lhe o procedimento. Na verdade, seu coração de filha recebeu um impacto duro. Achava que uma grande dor não comporta nenhuma distração, inclusive o futebol. Mas se conteve, e explicou por quê. Aquela casa ainda estava ressoante dos conselhos, pontos de vista e critérios da pranteada Zuleica. A santa senhora vivia dizendo: "Não briguem", "Não discutam", "Discussão só traz aborrecimentos" etc. etc. Deixou de fazer as objeções cabíveis, tanto mais que o marido estava cada vez mais interessado no jogo, que era um reles Flamengo × Madureira. Só na saída é que ela se permitiu a insinuação:

— Mamãe foi enterrada na quinta-feira e você já vai ao futebol!

— Mas, filhinha, futebol é a coisa mais inocente do mundo! Te juro que não há mal nenhum!

Dolores, no seu luto fechado e com a compreensível falta de pintura, ficou no portão esperando que o marido dobrasse a esquina. Só quando ele desapareceu é que ela, tomando um susto, reparou que, defronte, um rapaz, seu vizinho, antigo ex-pretendente, a devorava com os olhos. Vermelhíssima, sem ter de que, entrou. Solitária, na casa triste, ela pensou em d. Zuleica e, em seguida, sem querer e sem sentir, no vizinho que a olhara de uma maneira tão intensa, quase imoral. Chamava-se Alfredinho e, três anos atrás, depois de um flerte efêmero, tinham brigado, porque ele era um ciumento atroz. D. Zuleica interviera, com sua autoridade macia, quase imperceptível: "Não serve pra ti". Deixaram de se falar, mas Alfredinho, no dia em que ela se casara, comparecera à igreja. Quando a noiva passara, por entre lírios, a caminho do altar, ele, no meio da multidão, a olhava com um olhar de fogo. Ainda agora, ao pensar nele, experimentava um arrepio de medo. Então, sentindo mais do que nunca a ausência materna, encaminhou-se para o quarto de d. Zuleica, em que não entrara desde a morte da boa senhora. E foi para ela um tristíssimo consolo respirar entre as coisas da morta, entre seus livros, jóias e gavetas. Abriu o guarda-roupa para ver os vestidos, as combinações. Com os olhos marejados, foi examinando uma coisa e outra, até que, no fundo, bem no fundo, de um gavetão, encontrou um pequeno cofre, que não conhecia. Abriu, numa espécie de deslumbramento, e descobriu um maço de cartas, amarrado numa fita de seda azul. Desfez o nó e, com medo, foi lendo a primeira. Começava assim: "Osvaldo". Fez, em voz alta, a reflexão:

— Mas papai se chamava Clementino!

Durante meia hora, quarenta minutos, leu uma carta atrás da outra. Uma delas dizia: "Sei que teu marido está doente, mas não posso passar sem ti... Nosso filho te espera... Amanhã, sem falta...''. Uma outra tinha o seguinte trecho: "Fiz os versos para o túmulo do teu marido. Um milhão de beijos''. Atônita, lia e relia, já sem noção do tempo e do lugar. Eram frases claríssimas, que, entretanto, ela não compreendia. Tudo aquilo dançava no seu cérebro e houve um momento em que, numa tremenda confusão mental, julgou enlouquecer. Dir-se-ia que estava repassando um texto grego, chinês ou esquimó. Repetia para si mesma: "É mentira! Não pode ser!''. Pensava no pai tão miseravelmente traído. E estava tão imersa na leitura que não percebeu a chegada do marido. De volta do jogo, ele chegara até o quarto e vira a esposa absorta, com as cartas espalhadas no colo. Fez a pergunta:

— Que negócio é esse?

A IDÉIA LUMINOSA

Apanhada de surpresa, ela não teve cabeça, nem tempo para esconder ou destruir aquilo. E o marido, curiosíssimo, apanhava rápido uma das cartas e a lia, de fio a pavio, assombrado e com exclamações:

— Papagaio!

Conhecido o texto de uma, adquiriu como que o direito de ler o resto. Durante uma hora, ao lado da mulher, que já chorava, tomou conhecimento daquela correspondência amorosa. Certos trechos o faziam murmurar: "Carambolas!''. Quando soube que fora o amante o autor dos versos para o túmulo do marido, berrou:

— Essa é de arder! É a maior!

Por fim, uma curiosidade o ralava: quem seria aquele fabulosíssimo Osvaldo? Interrogou a mulher. Esta quebrava a cabeça havia meia hora. Das relações da família, não havia nenhum Osvaldo; ou, por outra, havia um, sim, que aparecia muito raramente. Fernandinho fez a pergunta:

— Bem-apanhado? Bonitão?

E ela, no esforço evocativo:

— Mais ou menos.

— Então é esse! Aposto minha cabeça!

Foi então que ocorreu a Dolores o sobrenome: Osvaldo Palhares. Fernandinho deu um tapa na própria testa, excitadíssimo. Andando de um lado para outro, frenético, dizia:

— É um milionário! Um sujeito cheio da erva! Tem prédios, avenidas, o diabo! E te digo mais: tua mãe não soube aproveitar direito, não tirou partido! Podia ter feito a independência!

Mas Dolores, fechada na sua dor, na sua desilusão absoluta, não ouvia as palavras do marido. Ergueu-se lentamente, desfigurada; dominava-a uma obsessão:

— Fernandinho, precisamos rasgar tudo isso! Precisamos queimar essas cartas!

Era justo, já que essas cartas significavam um documento vergonhoso. O marido, porém, arremessou-se; de cócoras, catando os envelopes e papéis espalhados, protestou:

— Rasgar, uma ova! Destruir por que, ora essa? Não, senhora! Vai por mim, meu anjo! Vai no meu golpe!

Como a mulher, estupefata, não entendesse, explicou parcialmente:

— Tive uma idéia genial! Luminosa! Depois te digo!

O ASSALTO

Primeiro, amadureceu o plano e só depois contou à mulher: o tal Osvaldo era um figurão importantíssimo e circunspecto, casado, com filhas moças etc. etc. Quando soubesse que ele, Fernandinho, tinha aqueles documentos tenebrosos, ia cair das nuvens:

— Te juro que me arranja um emprego. Ah! Dolores, Dolores! Tua mãe foi uma trouxa, não soube aproveitar!

A mulher a princípio teve a dúvida: seria direito? Correto? Ele, cruel, a emudeceu com a contrapergunta: o que d. Zuleica fizera era direito? Era correto? Exultou:

— Vou tomar o dinheiro dele, em bruto! Vou tirar o pé da lama!

Dir-se-ia que a avidez súbita, a idéia fixa do dinheiro o transformava, inclusive fisicamente. Parecia ter outra cara, outros olhos, outras mãos. Numa espécie de histeria, exagerava ao máximo:

— Ninguém presta! Ninguém é direito! E outra coisa: o emprego só não basta! Quero dinheiro vivo!

No dia seguinte, falou pelo telefone com o milionário. Apresentou-se como o "genro de d. Zuleica" e anunciou que possuía "cartas comprometedoras" etc. etc. Marcaram um encontro no escritório do magnata. Este, durante a entrevista, foi de uma exemplar compostura; disse apenas:

— O marido dessa senhora sabia de tudo e me explorava. Agora chegou a vez do genro.

Convencionaram uma quantia. Na saída, o milionário concluiu:

— Tome nota: sua mulher o trairá.

No caminho do escritório para casa, aquilo não lhe saiu da cabeça. Súbito, extinguiu-se na sua alma a alegria do dinheiro. Voltou do portão e foi, de bar em bar, embriagando-se. Chegou em casa trocando as pernas, passada a meia-noite. Durante meia hora, com os olhos turvos, assistiu ao sono da esposa. Depois, apoiando-se, ora numa parede, ora noutra, foi à cozinha: ferveu uma chaleira. Dez minutos depois, a vizinhança toda acordava, com os gritos. Fernando despejara água fervendo no rosto da mulher adormecida.

O MARIDO SILENCIOSO

Vinte e quatro horas antes do casamento, d. Eunice viu a tristeza da filha e estranhou:

— Que é isso, minha filha?

Maria Lúcia quis disfarçar:

— Nada, mamãe, nada. Por quê?

E d. Eunice:

— Estou achando você meio assim, esquisita. Houve alguma coisa entre vocês, houve?

Maria Lúcia ri:

— Ora, mamãe! Mas que bobagem! Teria cabimento a gente brigar na véspera do casamento? — Trancou os dedos: — Isola!

Sem desfitar a filha, d. Eunice suspirou: "Ótimo. Antes assim". Mas não estava convencida. Achou na alegria de Maria Lúcia algo de artificial, de falso. Meia hora depois surpreende a pequena com a pergunta:

— Você está feliz, minha filha?

— Eu?

— É.

Maria Lúcia teve uma brevíssima hesitação: "Estou, sim. E não é pra estar?". Pausa e pergunta: "Tenho um noivo quase perfeito". D. Eunice faz espanto: "Quase?". A garota parece desconcertada. Termina admitindo:

— É o seguinte: Abelardo é formidável, estou satisfeita com ele. Mas tem um defeito. Um único defeito.

— Qual?

Maria Lúcia ergue o rosto:

— Fala pouco. Quase não fala. É um boca-de-siri!

Parecia pouco. E d. Eunice, que estava sentada, levantou-se:

— Se ele só tem esse defeito, você deve dar graças a Deus!

Pararam por aí. E d. Eunice, que era uma otimista, não pensou mais no assunto. A união de Maria Lúcia e Abelardo era, teoricamente, o que se pode chamar de um matrimônio perfeito. Ambos sadios, bonitos, com afinidades profundas de educação, temperamento e fortuna. Aliás, d. Eunice já ponderava:

— Minha filha, lamba os dedos porque partido como Abelardo, hoje em dia, é difícil, muito difícil.

— Eu sei, mamãe.

Quanto ao feitio pouco comunicativo, taciturno do rapaz, Maria Lúcia teria suas razões. E, com efeito, Abelardo falava pouco, pouquíssimo. Economizava cada palavra, vivia imerso quase sempre num silêncio que chegava a incomodar. Por vezes, com surda irritação, Maria Lúcia pedia: "Fala, diz alguma coisa, meu filho!". Ele sorria, sem responder. Fosse como fosse, a garota gostava do noivo e gostava muito. Suspirava: "A gente se casa com as qualidades e defeitos do marido. Paciência". E, de fato, casaram-se, no dia seguinte. Nas emoções do dia, Maria Lúcia esqueceu-se de tudo o mais: entregou-se com todo o ser à sua felicidade de noiva. Na volta da igreja, ela muda a roupa. E, uns quarenta minutos depois, já sem véu, sem grinalda, num vestido normal, parte com Abelardo para o hotel da montanha onde viveria a sua lua-de-mel.

O SILENCIOSO

O automóvel corria na Rio — Petrópolis, numa velocidade macia, quase imperceptível. Passada a barreira, Maria Lúcia, já triste, tem um lamento:

— Meu anjo, desde que nós saímos de casa você ainda não disse uma palavra!

Nenhuma resposta. Abelardo limitou-se a apertar, um pouquinho mais, a sua mão. Decorrem dez minutos mais de silêncio. Dói, na pequena, que o noivo vá tão silencioso quanto o chofer. E não se contém. Crispa a mão no seu braço. Pede com angústia:

— Fala, meu filho. Diz alguma coisa.

Maria Lúcia espera. E nada, ainda. Sente que o noivo sorri. Insiste:

— Mas, Abelardo! Você não tem uma palavra para me dizer, num dia como o de hoje? Será possível?

Como resposta Abelardo dá-lhe um beijo curto e rápido, na face. Em seguida, passa a mão nos seus cabelos. Sem uma palavra, porém. E, então, com o coração apertado, Maria Lúcia suspira:

— Você só não é perfeito, meu bem, porque fala pouco! Eu daria tudo para que você falasse mais!

A LUA-DE-MEL

Segundo os cálculos feitos, a lua-de-mel devia durar um mês. No fim de doze dias, porém, com surpresa e escândalo para a família, os noivos aparecem na cidade. D. Eunice, ao vê-los, arremessa se:

— Mas o que foi isso? Voltaram por quê?

Abelardo, em pé, responde, lacônico:

— Foi ela.

E, então, atribuladíssima, d. Eunice vira-se para o genro: "Mas sente-se, Abelardo". O rapaz obedece; apanha, bocejando, um jornal. Já a velha se apoderava da filha e levava a pequena para fora. E, no quarto materno, sozinha com a mãe, Maria Lúcia começa a chorar. Cobre o rosto com as duas mãos e soluça:

— Não agüento mais! Não posso, mamãe! Quero e não posso!

Aterrada, d. Eunice não sabe o que pensar, o que dizer. Senta-se ao lado da filha. Toma entre as suas as mãos da moça: "Mas que foi que houve?". Maria Lúcia ergue-se. Anda de um lado para outro e, súbito, estaca:

— Esse homem não fala, mamãe! Não diz uma palavra! A senhora sabe o que é passar horas, dias inteirinhos, ao lado de um marido que não abre a boca? — Aperta a cabeça entre as mãos: — Eu acabo maluca, mamãe! No duro que acabo!

D. Eunice, sem uma palavra e cada vez mais assombrada, escuta, só. Procura compreender. Finalmente, pergunta: "Mas vem cá: é só isso?". Maria Lúcia a interpela com violência:

— E a senhora acha pouco? Oh, minha mãe!

A outra perde a paciência:

— Quem diz "oh" sou eu! Parece incrível que você esteja fazendo tamanho barulho por um motivo tão bobo! Sossega!

E a outra, fremente:

— Pode ser bobo, mas o fato é o seguinte: eu vou me separar, mamãe! E das duas uma: ou me separo, ou a senhora não terá filha por muito tempo!

PÂNICO

Foi um pânico na família. E o patético da situação era a inexistência de um motivo real, de um motivo legítimo. O pai apareceu, em polvorosa: "Que negócio é esse? Você está maluca?". Ela, desmoronada, respondia: "Eu não posso, meu Deus!". Tias, irmãs, primas se entreolharam na suspeita já de um desequilíbrio mental. E, de fato, só a insanidade parecia justificar o comportamento da menina. Houve uma romaria de parentes; variavam as palavras, mas o argumento ou argumentos eram os mesmos: "Isso não é defeito, carambolas! Ninguém se separa porque o marido fala de menos!". O pai foi mais além:

— Eu toparia a separação, o desquite, o diabo, contanto que você me arranjasse um motivo decente. Mas isso não é motivo, nem aqui, nem na China! Sua mãe sofre do coração. Você quer dar esse desgosto à sua mãe?

Chorando, Maria Lúcia explica:

— Quando eu vejo o meu marido calado, sem dizer nada, horas e horas, eu penso que ele está tramando algum crime!

O pai, feroz, esbravejava: "Mas isso é cômico, minha filha! Dá vontade de rir!". A pequena, sob verdadeira obsessão, parecia irredutível: "Vocês querem que eu volte, não é? Mas eu não volto!". — Berrava, esganiçando a voz: "Não volto, não volto e não volto!".

SOLUÇÃO

Mas voltou. Passara, longe do marido, sete dias. Ele, que a deixara ir sem uma palavra, a recebeu, no retorno, mais silencioso do que nunca. Dir-se-ia que não acontecera nada, absolutamente nada. Com uma naturalidade inumana, abriu a porta para Maria Lúcia e a beijou na testa. Só. O pai, que levara a filha, esfregava as mãos, numa falsa euforia:

— Tudo ok, o que passou, passou. Já vou. *Au revoir*.

Era de noite e a mesa estava posta. Marido e mulher jantaram no silêncio mais desesperador que se possa imaginar. Maria Lúcia pensava com o espírito trabalhado pelo sofrimento: "É demais, meu Deus, é demais!". Depois do café, passaram para a varanda. Ele, impassível, apanhou um cigarro e o acendeu. Então, fora de si, a mulher crispa a mão no seu braço e faz o apelo:

— Fala! Diz qualquer coisa! Uma palavra! — Elevou a voz, enfurecida: — Basta uma palavra, mas diz essa palavra, diz!...

Ele, mudo, calcou a brasa do cigarro no cinzeiro. Ela não pôde mais. Ergueu-se, entrou correndo. Abelardo continuou sentado, pelo espaço de umas duas horas, mergulhado numa meditação ardente e vazia. Tarde da noite, já com sono, resolveu subir. Ao chegar no alto da escada, pára. No fundo do corredor vê, suspenso, um vulto. Desesperada do marido, que falava pouco, quase não falava, Maria Lúcia enforcara-se. Uma corrente de ar mexia nas suas saias,

UMA SENHORA HONESTA

Era muito virtuosa e, mais do que isso, tinha orgulho, tinha vaidade dessa virtude. Casada há seis meses com Valverde (Márcio Valverde), ouvia muita novela de rádio. E se, por coincidência, a heroína da novela prevaricava, ela não podia conter sua indignação. Dizia logo:

— Esse negócio de trair o marido não é comigo!

Fazia uma pausa rancorosa. E concluía:

— Acho muito feio!

Vigiava as colegas, as vizinhas, sobretudo as casadas. Quando surpreendia um olhar suspeito, um sorriso duvidoso, vinha para casa em brasas. Perdia a compostura:

— Fulana devia ter mais vergonha naquela cara! Então isso é papel? Uma mulher casada, com filhos! E até me admira!

Durante horas, não falava noutra coisa. Na sua irritação, acabava implicando com o marido. Valverde, metido num pijama listrado, tremia diante dessa virtude agressiva e esbravejante. Refugiava-se detrás da última edição, como se fosse uma barricada; ciciava:

— Fala baixo, Luci! Fala baixo!

— Fala baixo por quê? Ora, essa é muito boa! Afinal, estou ou não estou na minha casa?

— A vizinhança pode ouvir.

— Bolas pra você! Bolas pra vizinhança!

Valverde sofria de asma. Bastava o tempo esfriar um pouquinho; a umidade era um veneno para ele. E, então, passava mal, tudo quanto era brônquio chiava e o acometia o pavor da asfixia iminente. Sendo tímido, talvez a timidez decorresse de sua condição melancólica de asmático. Mirrado, com um peito de criança, uns bracinhos finos e longos de Olívia Palito — o pobre-diabo não tinha a base física da coragem. Por vezes, nas suas meditações, imaginava a hipótese de uma luta corporal entre ele e a esposa. Embora mulher, Luci era bem mais alentada. E não há dúvida de que levaria vantagem esmagadora. A superioridade da moça, porém, não era apenas física. Não. O que a tornava intolerável e agressiva era justamente a virtude que a encouraçava. Como se sentia uma esposa corretíssima, acima de qualquer suspeita, vivia esfregando na cara do marido essa fidelidade. Não passava um santo dia que não alegasse:

— Mulher igual a mim pode haver! Mais séria, não! E duvido!

— Eu disse o contrário, disse?

— Não disse, mas insinuou!

— Oh, Luci!

Ela espetava o dedo no peito magro do marido; e explodia:

— Os homens são muito burros! Não sabem dar valor a uma mulher honesta. Só te digo uma coisa: devias dar graças a Deus de teres uma esposa como eu!

Não há dúvida: ela o tratava mal, muito mal mesmo; desacatava-o, inclusive na frente de visitas. Justificava-se, porém:

— Não sou de muito chamego, de muito agarramento, mesmo porque tudo isso é bobagem. Mas nunca te traí. Compreendeste?

O TROTE

Era funcionária pública, já que o marido ganhava pouco. Ia para a repartição cedinho. Para evitar equívocos, amarrava a cara. Andar de cara amarrada era uma de suas normas de mulher séria. Fosse por essa ferocidade fisionômica ou por outro motivo qualquer, não tinha maiores aborrecimentos na rua. E não que fosse feia. Podia não ser bonita, mas era cheia de corpo. E há, indubitavelmente há, conquistadores que se especializam em senhoras robustas. Por outro lado, enfurecia-se contra um simples olhar. Certa vez, no ônibus, um senhor de meia-idade, que ia no banco da frente, virou-se umas duas ou três vezes durante os quarenta minutos da viagem. Luci perguntou, então, bem alto, para que todos ouvissem:

— Nunca me viu, não?

O cavalheiro, com as orelhas em fogo, só faltou se afundar no banco. Uns rapazolas sem compostura riram. E quando Luci chegou na repartição esbravejava:

— A gente encontra cada sem-vergonha que só dando com a bolsa na cara!

Não saberia viver sem essa honestidade profunda. Um dia a vizinha veio bater na porta:

— Dona Luci! Dona Luci!

Apareceu, de quimono. Era o telefone. Admirou-se:

— Pra mim?

Foi atender assim mesmo. Era uma voz de homem; disse mais ou menos o seguinte:

— Aqui fala um seu admirador.

Antes da indignação, houve o pasmo:

— Como?

— Tenho pela senhora uma grande simpatia.

Era demais! Apesar de estar na casa dos outros, ou por isso mesmo, fez tremendo escândalo:

— Olha, seu cachorro, seu sem-vergonha! Eu não sou, ouviu?, quem você está pensando! E fique sabendo que meu marido é bastante homem para lhe partir a cara!

O anônimo, do outro lado, não perdeu a calma. Eliminou o tratamento de senhora e declarou simplesmente o seguinte, fazendo uso de expressões as mais desagradáveis e chulas:

— Tu deixa de ser besta, porque tudo isso é conversa fiada etc. etc. etc.

O EXPLORADOR

A família do vizinho, maravilhada, regalava-se com tamanha virtude. Luci voltou para casa transpirando, mas na euforia de sua fidelidade. Nunca, como durante o telefonema, sentira tão inequivocamente a sua condição de senhora honesta. De noite, quando o marido chegou, contou-lhe tudo. Valverde estava constipado, no pânico da asma. Ouviu, sem um comentário. Luci soltou a bomba, afinal:

— Desconfio de um cara.

— Quem?

— Primeiro, vou apurar direitinho. Mas se for quem suponho, vou te pedir um favor.

— Qual?

E ela:

— Você vai me dar um tiro nesse camarada!

— Eu? Logo eu?! Tem dó!

— Porque, se você não der o tiro, te garanto que eu dou!

Sim, ela desconfiava de alguém. Há seis meses que, ao sair de manhã e ao voltar de tarde, um vizinho vinha para a janela assistir à sua partida e à sua chegada. Ora, desde que se capacitara da própria honestidade, um simples olhar bastava para a conspurcar. Ela própria sustentava a teoria de que nada é tão imoral no homem quanto o olhar. E o vizinho em apreço, sem dizer uma palavra, sem esboçar um sorriso, dardejava sobre ela os olhares mais atentatórios. A coisa era de tal forma tenaz, obstinada e impudica que Luci acabou pedindo informações sobre o camarada. Soube de coisas incríveis, inclusive uma que a arrepiou: embora moço (teria seus trinta e poucos anos) vivia às custas de uma velha rica. Sofria desfeitas, humilhações da megera que chorava cada tostão. Mas o rapaz, com um estoicismo e um descaro impressionante, suportava tudo, para não morrer de fome. E Luci, apesar de achar feio, horrível, esse negócio de homem sustentado por mulher, teve uma pena relativa das desconsiderações infligidas ao sem-vergonha.

Reagiu, porém, contra essa debilidade sentimental porque, enfim, o rapaz estava nutrindo a seu respeito intenções desonestas, embora não expressas. Posteriormente, soube do nome do conquistador: Adriano. Era, como se vê, nome de vinho e, ao mesmo tempo, nome de fogos de são João. À noite, antes de dormir, e já na espessa camisola, fazia comentários enigmáticos, cujo sentido Valverde não captava:

— Hoje em dia os homens não respeitam nem mulher casada!

Dizia isso diante do espelho, repassando no rosto um remédio para espinha que lhe tinham recomendado. O marido, quieto e esquálido na cama, no pavor permanente da asma, olhava de esguelha para a mulher. E calado fazia suas reflexões. Tinha um amigo que era traído da maneira mais miserável. Apesar disso ou por isso mesmo a mulher o tratava como a um príncipe. E sempre que voltava de uma entrevista com o outro trazia para o esposo uma lembrancinha. Valverde quase invejava o colega. Ainda diante do espelho, Luci prosseguia, indireta e sutil:

— Mas comigo estão muito enganados! Eu não sou dessas!

Calava-se, porque, evidentemente, não podia pôr o marido a par de suas atribulações.

No dia seguinte, ao passar, a caminho do ponto de ônibus, lá estava o conquistador de velhas. Foi ilusão de Luci ou ele entreabrira para ela um meio sorriso sintomático? Ficou indignada. Disse, entredentes:

— Que desaforo!

No ônibus, viajou preocupadíssima. Era óbvio que o miserável já não se limitava a uma admiração distante, quase respeitosa. Não. Apertava o cerco. Durante todo o dia, no trabalho, ela se sentiu acuada. O pior foi na volta, à tarde: o fulano estava na calçada, numa camisa esporte, verde-clara, de mangas curtas. Pela primeira vez, Luci constatou que tinha braços fortes e bonitos, o que não era de admirar, dado que, aos domingos, o cínico jogava volibol de praia. Esta exibição deslavada de braços tornava mais patentes do que nunca as intenções de conquista. E só faltava, agora, uma coisa: que o rapaz lhe dirigisse a palavra. Se fizesse isso, Luci seria bastante mulher para lhe quebrar o guarda-chuva na cara. Finalmente, a moça apanhou uma gripe e resolveu ficar em casa.

ORQUÍDEAS

O marido saiu, muito alegre, dizendo que ia jogar no bicho; sonhara com não sei que animal e planejara o jogo. Muito imaginativa, ela ficou cultivando as piores hipóteses, sobretudo uma particularmente eletrizante: de que o vizinho, aproveitando a ausência de Valverde, invadisse a casa. Podia ter passado a tranca na porta, mas não ousou. Às quatro horas da tarde, explodiu o inconcebível: um mensageiro veio trazer uma caixa de orquídeas. Nenhuma indicação de remetente. Luci tremeu. Pela primeira vez em sua vida, compreendia toda a patética fragilidade do sexo feminino, todo o imenso desamparo da mulher. Diria ao marido? Não, nunca. Valverde, apesar da asma, do peito de menino, podia dar um tiro no casanova. Por outro lado, já admitia que o vizinho nutrisse por ela mais que um simples entusiasmo material. Quem sabe se não seria um amor? Grande, invencível, fatal? De noite, chegou Valverde, eufórico. Ao vê-lo, Luci teve um choque como se o visse pela primeira vez: que figurinha lamentável! E não pôde deixar de estabelecer o contraste entre os bracinhos do marido e os do "outro". Valverde quis beijá-la; ela fugiu com o rosto, azeda:

— Sossega!

O pobre esfregou as mãos:

— Ganhei no bicho!

Ela, nem confiança. Ligou o rádio; mas o seu pensamento estava cheio de orquídeas. De repente, Valverde, que fora lá dentro, reapareceu de calça de pijama e a camisa rubro-negra, sem mangas, que usava na intimidade. Fez, então, a pergunta:

— Recebeste as flores?

— Que flores?

— Que eu mandei?

Empalideceu:

— Ah, foi você?

E ele:

— Claro! Ganhei no bicho e já sabe!

A alma de Luci caiu-lhe aos pés, rolou no chão. Fora de si, não queria se convencer:

— Foi então você? Mas não é possível, não acredito! Onde já se viu marido mandar flores!

Ele, com os bracinhos de fora, os bracinhos de Olívia Palito, insistia que fora ele, sim, e explicou o anonimato das flores como uma piada. Quando Luci se convenceu por fim, deixou-se tomar de fúria. Cresceu para o marido, já acovardado, e o descompôs:

— Seu idiota! Seu cretino! Espirro de gente!

Acabou numa tremenda crise de pranto. Sem compreender, ele pensou na esposa do colega, que era infiel e, ao mesmo tempo, tão cordial com o marido.

A GRANDE MULHER

Ia com o amigo pela calçada quando a viu.

— Olha!

— O quê?

— Espia!

Os dois abriram alas para que ela passasse. E Nílson fez o comentário maravilhado:

— Que uva!

Mas já o outro a identificara:

— É a Neném!

— Quem?

O amigo repetiu e explicou que se tratava de uma mercenária do amor. O espanto de Nílson foi indescritível: "Parece uma menina de família!". Exagerava, porém. Era sensível a condição de Neném. Percebia-se no olhar, de uma doçura viva e proposital, no sorriso persistente, no batom violento, que pertencia a uma profissão muito especial que, segundo já se disse, "é a mais antiga das profissões". Nílson suspirou:

— Ah, se eu não fosse casado! Te juro que hoje mesmo metia as caras!

NENÉM

De fato, era casado e podia dar graças a Deus, porque tivera muita sorte. A esposa, que se chamava Geralda, possuía todas as virtudes possíveis e desejáveis. Pertencia a uma das melhores famílias do país, sabia dois ou três idiomas, era física e espiritualmente um modelo. De resto, saíra de um colégio interno para casar-se seis meses depois. O pai de Geralda, com indisfarçável vaidade, pôde dizer ao genro:

— Meu caro Nílson, minha filha é pura da cabeça aos pés. Nunca houve, note bem, nunca houve uma noiva tão decente.

E Nílson respondeu, grave e emocionado: "Realmente, realmente". Estavam casados há um ano e meio, e, até aquela data, jamais um atrito, um equívoco, uma discussão turvara a sua felicidade conjugal. Geralda não elevava a voz, não se exaltava, falava baixo e macio; e quando achava graça jamais ultrapassava o limite do sorriso. Eliminara de seus hábitos e modos a gargalhada. Por força da convivência, o próprio Nílson, que era exuberante por natureza, um pouco desleixado, continha-se. Em casa, era incapaz de rir mais alto, de usar gíria. Por vezes, tinha a impressão de que, no seu lar, estava amordaçado. No dia em que viu Neném pela primeira vez, voltou para casa com um remorso pueril. Disse mesmo ao amigo que, na ocasião, o acompanhava:

— Homem não presta mesmo!

— Por quê?

E ele:

— Veja você: sou casado com o anjo dos anjos. Mas bastou passar uma mulher ordinaríssima, como essa tal Neném, e eu já estou com água na boca!

O fato é que desejaria não olhar, nem sonhar com outra que não fosse a esposa tão nobre e tão amada.

A SURPRESA

Mas nessa noite aconteceu, na vida de Nílson, um fato muito interessante. Ele tinha, geralmente, um sono ótimo, fácil e contínuo. Dormia sempre antes da mulher e acordava no dia seguinte. De madrugada, porém, despertou com uma azia tremenda e golfadas ácidas sucessivas e desagradabilíssimas. Deduziu: "Alguma coisa que eu comi!". Fez ainda a blague irritado: "Estou com gosto de guarda-chuva na boca!".

Levantou-se, foi tomar um sal amargo qualquer e voltou para a cama. Geralda Maria dormia profundamente. Mas a azia de Nílson continuava; gemeu: "Bolas!". E, de repente, em pleno sono, Geralda virou-se na cama, resmungou uma porção de coisas sem nexo e, por fim, sussurrou o pedido nítido: "Me beija...". Evidentemente dormia, ou por outra, sonhava. Como ele não se mexesse, ela teve a iniciativa: arrastou-se na cama, aproximou o próprio rosto do dele e entreabriu os lábios para o beijo. Repetia o apelo: "Me beija, Carlos...". Automaticamente Nílson deu o beijo, mas o nome desconhecido estava dentro dele. Ela insistia: "Carlos, Carlos". Acariciava-o com a mão no rosto, nos cabelos. Então, no escuro, Nílson fez a revisão de todos os amigos, conhecidos e parentes. Quebrava a cabeça: "Conheço algum Carlos?". Acabou se convencendo: não, não conhecia. Sempre em sonho, Geralda puxa a camisola e passa a perna por cima dele.

De manhã, diante do espelhinho, fazendo a barba, pergunta: "Você conhece algum Carlos, meu anjo?". Houve, antes da resposta, um silêncio muito grande, um silêncio grande demais. Finalmente, no quarto, Geralda Maria disse, com uma naturalidade que Nílson achou esquisita:

— Não, não conheço. Por quê?

Ele pigarreou: "Por nada!".

Mas já começava a sofrer.

CARLOS

Depois da barba e do banho, desceu para o café. Neste momento bateu o telefone. Atendeu e teve que repetir "alô" três vezes, porque a pessoa que estava do outro lado da linha pareceu hesitar. Finalmente, uma voz masculina perguntava:

— Quem fala?

Deu o número e a pessoa disse: "Engano!".

E, de fato, podia e devia ser engano. Nada mais comum, nada mais trivial do que uma ligação errada. Todavia, Nílson foi tomar café com uma brusca e definitiva certeza: a pessoa que falara era o Carlos! Foi tão agudo o seu sofrimento que saiu. Na cidade, sentia-se numa prostração absoluta. E, de repente, teve uma iniciativa sem nenhuma lógica aparente; ligou para o amigo da véspera pedindo o endereço de Neném. O outro achou uma graça infinita.

— Mas o que é que há contigo? Estás apaixonado?

Foi malcriado: "Vai lamber sabão!". De noite, depois do serviço, bateu na porta de Neném. Ela o atendeu com um quimono muito bonito, bordado de ponta a ponta. Sentaram-se. Nílson, num humor sinistro, fez uma graça triste: "Estou sem níquel!". A pequena riu, ao mesmo tempo que punha uma pedrinha de gelo no copo de uísque.

120

— Não faz mal.

E ele, surpreso e encantado: "Você fia?".

Confirmou com a cabeça. Nílson, divertido, prolongou a brincadeira: "Olha que eu posso te dar o beiço!". Neném ria, ainda.

— Então, meu filho, o azar é meu!

Duas horas depois ele apanhou a carteira: "Brinquei contigo. Tenho dinheiro, sim. Toma". Estendia uma nota de quinhentos cruzeiros que ela recusou. Advertiu, porém: "Mas não conta a ninguém, não, que foi de graça. Se a madame sabe, vai subir pelas paredes".

DUPLA EXISTÊNCIA

E então começou a ter "duas vidas", uma em casa, com a esposa; outra, na rua, com a Neném. Dia e noite pensava no tal Carlos. No escritório, distraído, escrevia dez, vinte vezes esse nome. Depois picava o papel e o punha na cesta. Suspirava: "Acabo maluco".

E só vivia, realmente, quando estava com a Neném. Ela teimava em não aceitar um tostão de Nílson. Explicava: "Você não me deve nada, você é meu convidado". Chegava-se para perto do rapaz:

— Fiz fé com tua cara. Eu sou assim. Gostei, pronto, acabou-se.

Era assim com ele. Em compensação só faltava arrancar o couro dos outros fregueses. No seu entusiasmo, Nílson abria-se com os amigos: "Que pequena! E faz tudo, percebeste? Topa tudo!".

Tanto fez propaganda que um dos seus amigos resolveu fazer uma experiência pessoal e direta. E, de noite, procurava Neném. Esta, que nunca o tinha visto mais gordo, recebeu-o muito bem, sentou-se no seu colo, e, enfim, fez a festa necessária e convencional, e súbito acontece o imprevisto. O sujeito se lembra de dizer: "Sou amigo de fulano". Ela estacou:

— Do Nílson?

— Sim. Do Nílson. Por quê?

Foi terminante. Ergueu-se e pôs tudo em pratos limpos: paciência, mas com um amigo do Nílson não queria história.

Houve um verdadeiro escândalo. As colegas de profissão intervieram: "Você está maluca? O que é que tem? Ora veja!".

Mas Neném foi irredutível: "Se fosse outro qualquer, muito bem. Mas um amigo de Nílson, nunca". Nílson soube e, embora não o dissesse, experimentou um sentimento de vaidade e de pena. Brincou, comovido:

— Você é o que é. E vale mais do que uma dona que eu conheço!

Á TROCA

Um dia, na casa do sogro, houve uma festa grã-finíssima. Nílson compareceu, de braço com a mulher. E bebia uma primeira taça quando o sogro se aproxima: "Você conhece o Carlos?". Virou-se, atônito. Diante dele estava, realmente, o Carlos. Já não era, apenas, um nome. Súbito, convertia-se em pessoa viva, material, tangível. Agora, se quisesse, podia até matá-lo. Houve, de parte a parte, um "muito prazer". Carlos, simpático e quase bonito, inclinava-se, pedia licença e se afastava. Dentro em pouco, Nílson o via dançando com Geralda Maria. Ela se deixava levar, transfigurada. Gradualmente o álcool foi agravando, exasperando seu ressentimento. De repente o sogro bateu-lhe no ombro. Em voz baixa pergunta:

— Você não dança com sua mulher?

Espantou-se: "Eu?". E o velho: "Vá dançar com sua mulher". Nílson, com os olhos injetados, pousou a taça e disse: "Vou, sim. Vou dançar com minha mulher". Caminhou com um passo incerto para o telefone e fez uma ligação. Dez minutos depois ele, que fora para o portão, voltava de braço com a maravilhada Neném. Assim que ela descera do táxi, ele, completamente bêbado, anunciou-lhe: "De hoje em diante, és minha mulher para todos os efeitos".

O sogro o viu, entre os outros convidados, dançando com aquela desconhecida. E quando o genro passou quis repreendê-lo. Então, Nílson, largando Neném, espetou-lhe o dedo no peito:

— Olha aqui, seu cretino. Minha mulher é esta! E você, sua filha, o Carlos que vão para o diabo que os carregue!

Trôpego, mais bêbado do que nunca, abandonou a festa, levando a assombrada Neném.

O ALEIJADO

Era contra o casamento. E não fazia o menor mistério. Confessava, claramente, que tinha uma espécie de tara. Havia, em redor, um espanto.

— Tara?

— Pois não. Tara, sim.

— Mas como?

E ele, com alegre naturalidade:

— Só gosto de mulher casada.

— No duro?

— No duro. Tenho horror das solteiras. Não me interessam.

Este cinismo de salão causava um grande efeito, sobretudo nas mulheres. As solteiras arregalavam os olhos, no fundo deliciadas; e as madames achavam também uma graça infinita nesse descaro. E Sandoval, lisonjeado com o sucesso, insistia:

— Palavra de honra!

A DESCONHECIDA

E, um dia, ele ia saindo de casa, quando bateu o telefone. Voltou para atender.

Uma voz de mulher perguntava:

— Sandoval?

— Ele mesmo.

E a voz:

— Quem fala aqui é uma fã.

Sandoval, no momento, não tinha o que fazer; gostou da voz e dispôs-se a perder de dez a quinze minutos. Inicialmente, a desconhecida quis saber:

123

— É verdade aquilo que você disse?

— O quê?

— Que só gosta de mulher casada? É verdade?

Sandoval riu:

— Mais ou menos.

— Que pena!

— Por quê?

E a anônima suspirando:

— Porque eu sou solteira. Nem tenho namorado, imagina!

Divertido com a petulância da fulana, fez a blague:

— Vamos fazer o seguinte: você se casa e depois aparece.

— Olha que eu me caso mesmo!

A CASADA

Moço, forte, bem-apanhado, Sandoval continuou sua vida sentimental. Mas ninguém lhe conhecia uma aventura com pequena solteira. Dir-se-ia que a mulher casada era sua fatalidade. Explicava, a sério, as vantagens ilimitadas da esposa alheia, sendo que a primeira e maior é a de já estar casada. Concluía, convicto:

— Alto negócio! E, além disso, baratíssima. Quem subvenciona, quem corre com as despesas, é o marido!

Pouco a pouco, sem que ele mesmo o notasse, foi se esquecendo de umas tantas providências elementares de sigilo, de recato. Fazia quase ostentação. E já o dominava a vaidade de ser visto, apontado e, até, execrado. Houve dois ou três escândalos. E a coisa se tornava tão notória e imprudente que, afinal, um amigo o procurou. Fez-lhe advertências graves; sugeriu mesmo uma hipótese:

— Podes levar um tiro!

Acontece que a mulher deste amigo era um dos casos de Sandoval. E ele, muito sério e compenetrado, sem desfitar o outro, bateu-lhe nas costas:

— Obrigado, fulano. Mas não há perigo. Eu não me caso por quê? Porque o marido, em geral, é um idiota chapado.

O outro insistia:

— Mas você precisa fazer o negócio com mais discrição, que diabo!

Na saída, o amigo ainda o convidou:

— Queres jantar amanhã com a gente? Minha mulher reclama que você quase não aparece.

Passa-se o tempo. E a vida mesma, os fatos, as pessoas e as situações faziam de Sandoval um cidadão cada vez mais cínico. Dizia-se, dele, que era um canalha. Um dos seus prazeres mais agudos era se fazer amigo, e íntimo, dos maridos enganados, conviver com eles. Era uma maldade, que dissipava alegremente, uma maldade aliás desnecessária, quase esportiva. Até que, um dia, uma voz feminina telefona para ele. E, logo, faz a seguinte pergunta:
— Lembra-se de mim?
De momento não se lembrava, nem aquela voz lhe sugeria qualquer antiga impressão auditiva. Ela deu maiores detalhes: "Sou aquele brotinho, assim assim". Acabou exclamando:
— Já sei. Agora me lembro! Como vai você?
E ela:
— Segui seu conselho. Casei-me.
Teve uma surpresa alegre:
— No duro?
— Batata. Olha, faz hoje um mês!
— Ótimo!
Dois dias depois, tiveram o primeiro encontro, num bar de praia. Ele pediu um aperitivo qualquer e ela um refresco, de canudinho. E Sandoval, sôfrego, como se aquele fosse um primeiro amor, gostou de tudo, inclusive da feliz irresponsabilidade com que ela interrompia a lua-de-mel e vinha ao encontro do pecado. Sandoval quis saber quem era o marido e como era. Riu, esfregando as mãos:
— Você me apresenta a ele. OK?
— OK.
Ela ainda explicou que o conhecia há muito tempo, de vista, desde garotinha; que ficava, da janela, maravilhada, vendo-o passar; que fora e continuava sendo o seu amor, primeiro e único. Casara-se por quê? Para ficar livre e, então, poder abandonar-se. Não pensava no marido, não admitia que o marido pudesse converter-se numa ameaça, num perigo ou, simplesmente, num obstáculo. Tanto que, na sua perversidade, esco-

125

lhera, a dedo, entre muitos, o rapaz que lhe parecera mais cômodo e inofensivo. Então, envaidecida da própria malícia, soprou:

— Sabe? Ele é aleijado.

O ALEIJADO

Era verdade: Domício tinha uma perna mais curta que a outra. Daí, como dizia Sônia, o "complexo". As coisas, entre Sônia e Sandoval, se passaram de uma maneira muito simples, clara e direta. Ele não precisou fazer o mínimo esforço para conquistar uma conquistada. E, de vez em quando, apesar de toda a experiência, Sandoval perturbava-se diante daquela mocinha tão segura de si e com uma predestinação tão firme e irresistível para o pecado. Exclamava, então:

— Mulher é um bicho interessante! Um caso sério!

Sem nenhum senso do bem e do mal, Sônia aproximara os dois, levara Sandoval para dentro de casa.

E Domício, numa boa-fé de cortar o coração, acompanhara-o, na saída, até a porta: "Apareça sempre. Aqui, às suas ordens". E, no dia seguinte, a sós com o Sandoval, ela, no orgulho da própria astúcia, gabava-se:

— Viste o golpe? Foi ou não foi espetacular?

Surpreso, Sandoval deixou-a desenvolver seu raciocínio feminino. Em suma, Sônia achava que um marido aleijado é "uma mina", não pode reclamar nada, tem que agüentar firme tudo e olhe lá. Sandoval, com uma certa melancolia, suspira:

— Muito desagradável o defeito do teu marido.

A MALDADE

Dir-se-ia que a indignidade da situação era necessária para os dois. E, pouco a pouco, eles foram perdendo a prudência e encontravam na exibição um estímulo necessário. Apareciam juntos nas sorveterias, na praia, em todo lugar. Mesmo em casa eram cada vez mais ostensivos. Como se a doçura do outro o irritasse, Sandoval puxava o tema da infidelidade. Declarava coisas assim: "O sujeito que se casa é burro. Ninguém pode pôr a mão no fogo pela mulher". Parecia um desafio inútil e grosseiríssimo ao pobre-diabo que, do outro lado da mesa, achava graça e celebrava:

— Você é uma bola, Sandoval! Um número!

Durante o jantar, os pés de Sônia e Sandoval trabalhavam por debaixo da mesa. Se Domício olhava para o lado, Sônia fazia a boca em bico, para o amante, numa sugestão de beijo. Outras vezes ele sugeria: — "Vem de vestido em cima da pele. Sem nada por baixo!". Sônia vinha. E os dois precisavam ter o pobrediabo no meio, como se a sua presença completasse o prazer. Por fim, tanta cegueira fazia nascer, em Sandoval, uma espécie de irritação; dizia, brutalmente: "Esse teu marido é uma boa besta!". Depois do jantar, ele os deixava, conversando, e se afundava na poltrona, para cochilar escandalosamente.

O ABNEGADO

Mas Sandoval não nascera para uma só mulher. A variedade era, na sua vida, um hábito, um vício, uma doença. Ele acabou se interessando por uma outra, também casada e também com um marido ingênuo e bom.

E, então, mancando, Domício o procurou. Disse-lhe:

— Outra não, seu cachorro! Eu não admito, ouviste? Te dou seis tiros!

De noite, Sandoval apareceu na casa dos dois. Depois do jantar, enquanto ele conversava com Sônia, Domício cochilava na poltrona.

CHEQUE DE AMOR

Filhinho de papai rico, fez o diabo até os vinte e dois anos. Embriagava-se de rolar nas sarjetas. E era preciso que os amigos ou a polícia o levassem para casa, em estado de coma. De vez em quando, o pai perdia a paciência. Chamava o rapaz, passava-lhe um carão tremendo: "Te deixo a pão e laranja, sem um níquel!". Como não cumprisse nunca a ameaça, Vadeco perseverava na mesma vida. Um dia, numa boate, excedeu-se a si mesmo; promoveu um conflito pavoroso. Foi um escândalo. De manhã, o velho estava no quarto do filho, esbravejante:

— Você é a vergonha da família!

Vadeco não abriu a boca. Com todos os seus defeitos, que eram muitos e graves, respeitava o pai. No fim, o velho disse a última palavra: "Você agora vai trabalhar, seu animal!". E, de fato, já no dia seguinte, Vadeco tomava posse no seu primeiro emprego, como gerente numa das empresas do pai. Seu primeiro ato foi nomear secretário um amigo e companheiro de farras, o Aristides. No primeiro dia, não fizeram absolutamente nada, senão olhar um para o outro. De vez em quando, um dos dois tinha a exclamação: "Que abacaxi!". Mas, na hora do lanche, o Aristides foi dar umas voltas pelo escritório. Voltou outro. Esfregando as mãos, anunciou:

— Parece que tem aí umas pequenas ótimas!

D. JUAN

E, então, rapidamente, com a colaboração do Aristides, Vadeco foi tomando conta do ambiente. Nem um nem outro faziam nada; mas, em compensação, enchiam o gabinete de funcionárias. Era uma pândega ao longo de todo o horário de trabalho. De vez em quando, o Vadeco, de olhos injetados, virava-se para o secretário:

— Fecha a porta à chave!

O outro obedecia e o resto dos empregados, atônitos, faziam as suposições mais espantosas. Uma das funcionárias quis se engraçar com o Aristides; este, porém, foi claro, leal, definitivo: "Comigo não! Absolutamente!". A outra não entendeu e ele teve que ser mais explícito. Explicou, então, que, no escritório, o chefe tinha prioridade absoluta. E insistiu: "Primeiro, ele; depois, eu". A verdade é que Vadeco não precisava fazer esforço nenhum. O Aristides é que, com um tato e uma eficiência admiráveis, convencia as companheiras. Usava todos os argumentos, inclusive os de ordem prática: "Ele te aumenta o ordenado, sua boba!". De vez em quando, havia maior ou menor resistência. Foi, por exemplo, o que sucedeu com a nova telefonista, uma loura cinematográfica, que se notabilizava pelos vestidos colantes. Assim que a viu, Vadeco chamou o Aristides: "Mete uma conversa nessa cara!". O outro não discutiu: pendurou-se na mesa telefônica. O grande argumento da telefonista era este:

— Mas e o meu noivo?

Aristides foi rotundo:

— Teu noivo não precisa saber. Não saberá nunca!

E ela, no pavor de possíveis delações:

— É espeto! É espeto!

Acabou indo. Primeiro houve o cinema; depois do cinema, um passeio delirante de automóvel. No dia seguinte, pela manhã, Aristides perguntava: "Que tal?".

Vadeco bocejou:

— Serve.

A INCONQUISTÁVEL

Até que, uma tarde, Vadeco dá de cara, no corredor, com uma menina desconhecida. Toda a sua vida sentimental se fazia na base de variedade. Correu para o Aristides: "Quem é essa fulana?". O outro foi dar uma volta e regressou com as informações:

— Dureza!

— Por quê?

— É noiva. E vai casar no mês que vêm. Séria pra chuchu!

Vadeco foi lacônico:

— Vai lá e mete uma conversa.

E era assim Vadeco. Ele próprio admitia: "Tenho uma tara na vida: só gosto de mulher séria". Gostava das outras também; mas a sua paixão era a pequena difícil, a pequena quase inconquistável. Aristides voltou meia hora depois. Sentou-se, bufando, e admitiu:

— O negócio está duro. Eu te avisei: é séria. Só faltou me dar na cara.

Mas o filhinho de papai rico não aceitava impossibilidades. Quase esfrega o livro de cheques na cara do outro; esbravejou: "Sou rico, tenho dinheiro. E mulher quer é isso mesmo. Gaita". Aristides suspirou:

— Nem todas. Nem todas.

ANGÚSTIA

Então, aquela funcionária se converteu na idéia fixa de Vadeco. Aristides quis distraí-lo com outras sugestões: "Fulana também é muito boa. E topa". Vadeco respondia: "Não interessa. Quero essa. Só essa. Ah, menino! Eu beijava aqueles peitinhos!". Agarrou Aristides pela gola do casaco e o sacudiu:

— Ou tu me arranjas essa "zinha" ou estás sujo comigo!

Aristides voltou à carga. E encontrou a mesma resistência ou, por outra, uma resistência mais exasperada. A menina, que se chamava Arlete, gostava do noivo, era louca por ele. Aristides procurava tentá-la: "É um alto negócio pra si, sua trouxa!". A menina acabou explodindo: "Não sou o que você pensa. Ora, veja!". E Aristides, com medo de barulho, de escândalo, escapuliu. Nessa tarde, Vadeco foi de uma grosseria tremenda: "Você é uma zebra!". Concluiu, dizendo:

— Eu mesmo vou liquidar esse assunto!

Era, porém, outro homem. Sua alegre, sua esportiva irresponsabilidade fundia-se numa angústia de todos os minutos, de todas as horas. Dir-se-ia que só havia no mundo uma mulher e que esta mulher era Arlete. Esperou ainda dois dias. Findo este prazo, nomeou a menina sua secretária. Avisara Aristides: "Vou entrar de sola". E, com efeito, não teve maiores cerimônias. Começou com uma pergunta aparentemente inofensiva: "Você ganha aqui quanto?". Um pouco surpresa, ou contrafeita, Arlete respondeu:

— Dois mil cruzeiros.

— É uma miséria! Uma vergonha!

E foi só, por esse dia. Mas, de noite, em casa, Vadeco não conseguiu dormir. Aristides, que o levara em casa, lembrou-lhe: "Não te disse? É batata". Vadeco, do fundo de sua angústia, teve o desabafo feroz:

— O dinheiro compra tudo!

No dia seguinte, entrou no escritório com uma garrafa de uísque debaixo do braço. Pouco depois, o contínuo trazia o copo e, então, no seu desespero contido, começou a beber. O álcool o tornava cruel e cínico. Fez, de repente, a pergunta:

— Você é séria?

Arlete, que procurava no arquivo de aço uma ficha qualquer, virou-se, espantada. Não ouvira direito: "Como?". Ele repetiu. E ela, sem desfitá-lo, respondeu: — "Sou". Ergueu-se, aproximou-se:

— Tem certeza?

— Absoluta.

Durante alguns instantes, olharam-se apenas. Ele voltou para a secretária, sentou-se na cadeira giratória. Arlete parara o serviço e não perdia nenhum de seus gestos. Foi então que Vadeco com a voz estrangulada disse:

— Queres ganhar cem mil cruzeiros?

A princípio, Arlete entendeu "cem cruzeiros". Vadeco teve que repetir:

— Cem mil cruzeiros. Cem contos! Queres?

Encostara-se no arquivo de aço, como se lhe faltassem forças. E duvidava ainda: "Cem contos?". Mas já não estava mais segura de si mesma. Quis saber: "A troco de quê?". Vadeco estava, de novo, a seu lado; implorava:

— Basta que passes, comigo, uma hora, no meu apartamento. Só uma hora. Cem contos por uma hora!

E, ali mesmo, diante da menina atônita, encheu o cheque e o passou a Arlete. Num breve deslumbramento, a moça lia: "Pague-se ao portador ou à sua ordem...". Reagiu, desesperada, gritando:

— Mas eu sou noiva! Não percebe que eu sou noiva? Que vou casar no mês que vem?

Tiritando, como se uma maleita o devorasse, disse-lhe que a esperava, no dia seguinte, às dez horas, no apartamento. Escreveu o endereço num papel, que entregou à garota.

— Cem contos por uma hora. Só por uma hora e nunca mais. Voltarás com este cheque. Cem contos, ouviste? Cem contos! — E parecia possesso.

O CHEQUE

Quando Aristides soube tomou um choque: "Cem contos? Você está maluco, completamente maluco!". Fora de si, Vadeco repetia a pergunta: "Será que ela vai?". O outro fez a blague desesperada: "Por cem contos, até eu!". E o fato é que, na sua febre, Vadeco estaria disposto até a dobrar a quantia. Queria vê-la nuazinha, em pêlo.

Mas no dia seguinte, pela manhã, Arlete, que não dormira, levantou-se transfigurada. Jamais uma mulher se vestiu com tanta minúcia e deleite. Escolheu sua calcinha mais linda e transparente. Ela própria, diante do espelho, sentiu-se bonita demais, bonita de uma maneira quase imoral. Aristides marcara uma hora matinal, de propósito, para evitar suspeitas. E foi assim, bem cedinho, que ela tocou a campainha do apartamento, em Copacabana. Antes que Vadeco, maravilhado, a tocasse, Arlete fez a exigência mercenária:

— O cheque!

O rapaz apanhou o talão na carteira e entregou. Arlete leu ainda uma vez, verificou a importância, assinatura, data etc. E, súbito, numa raiva minuciosa, rasgou o cheque em mil pedacinhos. Vadeco ainda balbuciou: "Que é isso? Não faça isso!". Ela o emudeceu, atirando os fragmentos no seu rosto, como confete. Petrificado, ele a teria deixado ir, sem um gesto, sem uma palavra. Ela, porém, na sua raiva de mulher, esbofeteava-o, ainda. Depois, apanhou, entre as suas mãos, o rosto do rapaz, e o beijou na boca, com fúria.

FEIA DEMAIS

Quando chegou em casa, as irmãs o esperavam com a pergunta sôfrega:

— Você está namorando aquela pequena?

— Estou.

Houve um espanto indignado:

— Não é possível, não pode ser!

— Por quê?

E todas, num coro feroz:

— Porque é um bucho horroroso! Arranja uma pequena melhor, mais interessante, bonitinha!

O rapaz empalideceu, ressentido com a grosseria dos comentários. E teve uma atitude muito bonita e viril. Primeiro chamou todo mundo de "espírito de porco". Em seguida, anunciou:

— Pois fiquem sabendo que eu vou me casar com esse bucho! Té logo!

Virou as costas e foi jogar sinuca no boteco da esquina.

A PEQUENA

Mãe e filhas se entreolharam, assustadas. Uma das pequenas suspirou: "O caso é sério". Houve, em derredor, a aprovação: "Seríssimo". E a mãe, que gostava muito daquele filho, fez um voto de abstenção, usando da seguinte alegoria:

— Amarra-se o burro à vontade do dono. Ele quer casar, não quer?

Admitiram: "Parece". Ela concluiu:

— Pois que case e seja feliz.

Havia, porém, a esperança ou o desejo de que, com o tempo, Herivelto se convencesse da fealdade da menina. Mas que esperança! Estava realmente apaixonado, disposto a se casar de qualquer maneira e no mais breve prazo. Um dia, a mãe, que se caracterizava por um senso comum tremendo, chamou-o: "Vem cá, meu filho. Vamos conversar direitinho". Herivelto atendeu; fez, porém, a ressalva solene, quase ameaçadora: "Converso, minha mãe, desde que a senhora não fale mal de fulana". A outra admitiu, mais do que depressa: "Evidente! Eu até gosto da menina". Pigarreou e prosseguiu:

— Você quer casar, não quer?

— Quero.

Veio, então, a pergunta à queima-roupa:

— Mas com que, meu filho? Casar com a roupa do corpo não é possível. E você, aqui pra nós, não ganha o suficiente.

O rapaz ergueu-se. Ficou andando de um lado para outro, com as duas mãos nos bolsos. E, de repente, estacando, definiu-se:

— Minha mãe, sabe qual é a minha opinião? É a seguinte: o que decide na vida é o peito. Vou me casar no peito!

De noite, com a pequena, contou o episódio. Interpelou-a: "Topas morar num quarto comigo?". Era um momento crucial. Jacira, porém, foi magnífica. Respondeu à altura:

— Com você, meu filho, eu topo tudo!

FEIA COMO A NECESSIDADE

A verdade é que, num clima de paixão, tanto o rapaz como a pequena estariam dispostos a morrer de fome. Herivelto teve o trabalho de burilar uma frase a propósito dos matrimônios pobres: "O casamento", dizia ele, "é uma questão de amor e não de bóia". Em vão o advertiam: "Olha que vais dar com os burros n'água". Replicava, otimista: "Paciência". Um dia, após um namoro agradabilíssimo, casaram-se. Quando Jacira entrou na igreja, de braço com o padrinho, estava, segundo testemunhas visuais, "um pavor". Houve quem perguntasse: "Essa menina tem dinheiro?" Não, não tinha. E ninguém compreendia como um rapaz bem apanhado como o Herivelto a tivesse escolhido entre todas. A família do noivo se agarrava, com unhas e dentes, ao seguinte e melancólico consolo: "Não é bonita, mas tem bom coração".

Só no sétimo ou oitavo dia de lua-de-mel é que Herivelto começou a desconfiar da verdade. Jacira estava diante do espelho espremendo espinhas. E fazia isso com um deleite, uma volúpia extraordinária. Em silêncio ou, por outra, assoviando, o rapaz contemplava a mulher. Sem querer, sem sentir, estava fazendo um julgamento físico de Jacira. Esta ainda se virou e fez o comentário:

— Ih, meu filho! Estou com uma pele infame!

AS OUTRAS

A partir de então, quando estava em casa, ele não fazia outra coisa senão espiar, espreitar a fealdade da esposa. Uma coisa o espantava e amargurava: "Eu estava cego, completamente cego!" Olhava agora Jacira e se saturava de sua falta de graça e de feminilidade. Por outro lado, começava a experimentar uma irritação doentia e contínua. Um dia, em que Jacira estava particularmente desinteressante, fez uma pergunta perversa:

— Será que uma mulher feia não desconfia da própria fealdade?

A outra não percebeu a sugestão. Coçando a cabeça com um grampo, ria:

— Que nada! Pergunta a um bucho se ele é bucho, pergunta.

Durante dois ou três segundos, quase Herivelto a interpela: "E tu?". Conteve-se, porém. Mas sua ilusão se extinguira até o último vestígio. Sabia, agora, que sua mulher, a mulher com quem se casara para sempre, era feia, excepcionalmente feia, feia de uma maneira constrangedora, intolerável. Começou a ter resistências com Jacira, uma espécie de alergia, de incompatibilidade física tremenda. Precisava desabafar com alguém. Correu à própria mãe:

— Mamãe, eu estava bêbado, completamente bêbado, quando casei!

Fora de si, apertando a cabeça entre as mãos, gemia: "Feia demais!". E repetia: "Demais!". Certos deveres ou hábitos de marido já o enfureciam. Por exemplo: ao sair para o trabalho e ao voltar acostumara-se a beijar a mulher na boca. E se, agora, simulava um engano, uma distração, e roçava os lábios na face de Jacira, esta fazia a reclamação amorosa: "Na boca, meu filho, na boca!". Ele se crispava. Esse beijo na boca se transformou, com o tempo, numa fobia. Por outro lado, na rua, no ônibus, ficava fazendo confrontos entre as transeuntes e Jacira. Se encontrava uma mais jeitosa, delirava: "Isso é que é corpo!". Ou, então: "Que rabinho!". E, se estava com um amigo, cutucava o amigo: "Olha que espetáculo!".

A AMANTE

O pior de tudo é que Jacira tinha um temperamento carinhosíssimo. Gostava de dar e receber carinho. De noite, quando Herivelto chegava, ela vinha sentar-se no seu colo e se derramava em dengues: "Tu gostas da tua gatinha, gostas?". Exasperado, e fazendo um esforço para se conter, rosnava: "Sossega. Há hora pra tudo. Vamos jantar". E se iam a um cinema Jacira voltava de lá impossível:

— Eu não acho a Lana Turner nada essas coisas. Vulgar.

De fato, a pobre pequena era exigentíssima, sempre vendo defeitos nas outras mulheres. A Barbara Stanwick parecia-lhe "tão sem graça". Herivelto caiu das nuvens, estacou, furioso: "Barbara Stanwick sem graça?! Você bebeu?". Teve vontade de fuzilar a esposa com a pergunta: "Se ela é sem graça, você o que é?". Mas a situação matrimonial tornara-se insolúvel. Era agora dominado por uma obsessão. Dizia para si mesmo: "Tenho que arranjar uma cara". Arranjou uma, com efeito, que trabalhava numa casa de modas. Era uma fulana alta, que, na opinião de muitos, lembrava um cavalo de corrida. De uma maneira ou de outra, o fato é que Herivelto se apaixonou. Uma vez, de longe, a fulana viu Jacira. Ao primeiro ensejo, fez, para Herivelto, o comentário:

— Bem feinha tua mulher, hein?

Ele esbravejou: "Um bucho horroroso!". A fealdade da mulher o humilhava. E o interessante é que Jacira não desconfiava de nada, não percebia que era abominada pelo esposo.

O INFIEL

Até que aconteceu o inevitável. Uma noite, Herivelto chegou em casa bêbado. E pior do que isso: com manchas de batom no pescoço, no lenço etc. Ela, então, que jamais admitira a hipótese de uma infidelidade, virou uma autêntica leoa. Avançou para o marido, de dedo em riste; esganiçava-se: "Que é isso? Que negócio é esse?". Bambo em cima das pernas, o marido teve uma sinceridade de ébrio:

— Tenho uma amante... Tenho uma amante...

A princípio, ela não compreendeu. Repetiu, no seu assombro: "Uma amante!". Mas já o rapaz rolava na cama, ficava de bruços, resmungando coisas ininteligíveis no seu idioma de bêbado. Ela, subitamente feroz, o revirou; segurava-o pela gola do paletó, sacudia-o e gritava!: "Eu também vou te trair, ouvistes?". De manhã, quando Herivelto acordou, ela, que não dormira, repetiu:

— Vou fazer o que você me fez. Por essa luz que me alumia!

TRAGÉDIA

Não teve pressa. Durante quarenta e oito horas, debateu-se em dúvidas medonhas. Trair era ou devia ser facílimo; restava, porém, a pergunta: "Com quem?". Passou em revista todos os amigos e conhecidos. Ia excluindo um por um, através de um processo eliminatório. Acabou se fixando num amigo do marido, um tal de Mascarenhas. Telefonou-lhe, sem dizer quem era. E o outro, ouvindo uma voz feminina, inflamou-se. Queria um encontro imediato, num lugar assim assim. Ela foi bastante feminina para adiar a entrevista. Depois de uns quinze dias de telefone, Jacira submeteu-se. O outro marcou hora e deu o endereço de um apartamento que mantinha para tais aventuras. Duas horas depois, ela estava lá, apertando o botão da campainha. O próprio abre e Jacira invade o apartamento. Ele parece atônito, não compreende. Jacira percebe nos seus lábios uma expressão de descontentamento quase cruel. Espera uma palavra, uma iniciativa. E como ele não faz,nem diz nada, ela o interpela: "Então?". O fulano balbucia:

— Desculpe, mas não é possível... Sinto muito... Desculpe...

Pela primeira vez, Jacira sente parcialmente a verdade. Foge dali, como uma criminosa. Em casa, no quarto, coloca-se diante do espelho grande. Revia-se, de corpo inteiro. Compreende tudo. Compreende por que fora quase escorraçada. Coincidiu que, nessa noite, bêbado outra vez, o marido a ultrajasse com a palavra: "Bucho! Bucho!". Teve ódio, um ódio inumano, indiscriminado, contra si mesma, contra o marido, contra o mundo. Esperou que Herivelto mergulhasse no sono de embriagado. Então, já serena, derramou álcool em cima dele e riscou o fósforo. Por entre chamas, ele se revirava, se contorcia, como se tivesse cócegas. Fugiu, uivando, perseguido pelas labaredas. Vizinhos atiraram baldes d'água em cima dele. Herivelto morreu, porém, ali mesmo, nu e negro.

UM CHEFE DE FAMÍLIA

Foi um amigo que chamou sua atenção:

— Fulana te dá cada bola tremenda!

Mentira!

E o outro veemente:

— Palavra de honra! Não tira os olhos de ti!

Mas como o amigo fosse quase um débil mental, tido como irresponsável, Anacleto duvidou, ainda:

— Estás querendo me pôr máscara!

Passou-se. Mas no dia seguinte, coincidiu que ele e a garota fossem no mesmo bonde para a cidade. Então Anacleto instalou-se no banco dos sem-vergonha, de frente para todo mundo, inclusive para a pequena. Fez seus planos: "Vou tirar isso a limpo!". E, com efeito, não fez outra coisa, durante a viagem, senão tomar conta de Netinha. A princípio, olhava com certa discrição e, por fim, com o maior descaro. Num instante, os outros passageiros acompanharam, interessados, o flerte escandaloso. Desde o primeiro instante, qualquer dúvida era impraticável: "Está me dando bola!", pensava o rapaz. Envaidecido da conquista, que já reputava consumada, exagerava para si mesmo: "Notabilíssima!". Na cidade, telefonou para o amigo:

— Teu palpite foi batata!

O outro exultou:

— Estava na cara!

Anacleto baixou a voz:

— Vou entrar de sola!

Netinha podia não ser um deslumbramento. Mas era jeitosa de corpo e de rosto. Anacleto, que, na ocasião, dizia-se "vago", viu naquele namoro um passatempo dos mais estimáveis. Ao primeiro ensejo, saiu atrás da pequena. Fez a pergunta melíflua:

— Posso acompanhá-la?

Sorriu:

— Não vale a pena.

Mas o simples fato da resposta implicava uma aquiescência. Anacleto instalou-se, a seu lado, no bonde. Quando veio o condutor, ele anunciou, alto, dando uma nota de dez cruzeiros:

— Duas.

Num instante, segundo sua expressão textual, "o negócio pegou fogo". Foi um interesse súbito, recíproco e feroz. Suspirando, dizia ela: "Sou muito romântica". Ele não ficava atrás: "Eu, idem". E ela:

— Ah, que bom!

Esse romantismo conjunto parecia assegurar um romance em grande estilo, uma novela de primeira ordem. Cada vez mais interessado, mais conquistado, foi avisando:

— Quero te ver todo santo dia!

— Todo dia?

— Natural!

E ela:

— Todo dia, não, meu filho! Não pode!

— Por quê?

— Papai não quer, não deixa.

Na sua decepção, Anacleto esbugalhou os olhos: "Essa é a maior!". Então, Netinha explicou, com muito tato e doçura, que o pai era um caso sério, enérgico que Deus te livre. Antes de se despedir, ela combinou, de pedra e cal:

— Tu vais me ver às terças, quintas e sábados. OK?

Bufou:

— OK.

SOGROS

Mas foi-se embora descontente. Desabafou com os amigos: "Não devia existir sogro. Nem sogra. São os maiores empatas do mundo". No dia seguinte, porém, experimenta uma nova e amarga decepção. Planejara ir com Netinha ao cinema, à Quinta da Boa Vista, ao Pão de Açúcar. Netinha, porém, o dissuadiu: "Nem brinca!". O pai era contra namoro em portão, esquina. Vivia dizendo: "Nada de rua. Quero namoro em casa, na sala!". Nessa altura dos acontecimentos, Anacleto gostava demais. E foi na base da paixão que aceitou o romance na própria residência de Netinha. Foi apresentado ao sogro, que era a antipatia personificada; à sogra, que costurava em casa; às cunhadas, que eram duma clamorosa falta de graça. Às sete horas da noite, batia ele na residência da garota. A sogra, que estava costurando na sala, levantava-se:

— Esteja à vontade! Com licença!

Justiça se faça àquela família, inclusive ao próprio sogro. A despeito de seus escrúpulos severos, nem ele, nem a sogra, nem as cunhadas apareciam. Ficavam os dois em plena, total liberdade. De vez em quando, ocorria uma dúvida a Anacleto:

— Imagina tu se teu pai me entra aqui de repente! É capaz de dar tiros!

Foi taxativa: "Vai por mim que não há perigo!". Passavam três, quatro horas naquela sala, sem que ninguém os incomodasse. Ele fazia justiça: "Teu pessoal é muito camarada! Muito liga!". Mas um dia a própria sogra o chamou: "Sabe como é, não sabe? Vocês ocupam a sala e eu não posso trabalhar...". Custou a compreender que devia indenizar o espaço e o tempo. Acabou estabelecendo uma contribuição mensal de quinhentos cruzeiros. Continuava, porém, contrariadíssimo. Raro era o dia em que não abrisse o coração para a pequena:

— Esse negócio de só te ver às terças, quintas e sábados ainda não me entrou! Por que três vezes por semana e não todos os dias? Por quê?

Coçando a cabeça com o grampo, ela repetia:

— Costume da casa! Papai não gosta! Papai não quer!

A DENÚNCIA

Uma terça-feira, estava passando goma no cabelo, para ver a pequena, quando aparece o amigo, o mesmo de sempre. O fulano vê uma cadeira vaga, senta-se. E, mascando um palito de fósforo, começou:

— Olha, Anacleto, tu sabes que eu sou um sujeito discreto.

— Mais ou menos.

O outro pigarreou:

— E, além disso, não gosto de dar palpites na vida de ninguém.

Anacleto foi sumário:

— Desembucha!

Já de pé, com as duas mãos nos bolsos, o amigo disse o resto: "Queres saber por que só te deixam ver a pequena às terças, quintas e sábados?". Anacleto virou-se: "Fala". O outro baixou a voz:

— Pelo seguinte: porque, às segundas, quartas e sextas, vai outro em teu lugar. Percebeste o golpe? A marmelada? Sujeira e das grossas!

Durante uns trinta segundos, reinou um silêncio compacto no quarto. Anacleto foi incapaz de um gesto, de uma palavra, de uma idéia. Súbito, arremessou-se contra o outro aos berros: "Seu isso! Seu aquilo!". Agarrou-o, pela gola do casaco; com as duas mãos, sacudia-o, frenético: "Mentiroso!". O delator, lívido, asfixiado, mal podia dizer: "Eu vi! Eu vi!". Anacleto perguntou: "Quando?". E o pobre-diabo: "Ontem. A vizinhança sabe, comenta. Palavra de honra!". Anacleto exigia:

— Jura pela honra da tua mãe como viste. Jura!

— Juro... pela honra de minha mãe!

Então, já abalado, Anacleto andava de um lado para outro no quarto. Dava murros na própria cabeça. "Não é possível! Não pode ser!" Estrebuchava ainda: "Eu admito que Netinha seja isso e aquilo... Em matéria de mulher, só acredito na minha mãe... Mas o meu futuro sogro!". Via no velho um padrão de intransigência. "Ele não toparia essa pouca-vergonha! É um sujeito batata, cem por cento!" Mas o amigo, que tinha uma vocação nata e irresistível para a delação, forneceu maiores detalhes: "O tal cara é despachante, tem automóvel, o diabo!". No meio do quarto, Anacleto decidiu, patético:

— Vamos tirar isso a limpo! Amanhã é o dia do outro, não é? Pois estaremos lá, na hora, espiando. Mas toma nota: se for mentira, te arrebento essa cara!

TRAGÉDIA

No dia seguinte, com efeito, debaixo de uma árvore próxima, os dois espionavam a casa. Súbito, encosta um carro que

Anacleto, mentalmente, classificou como "big automóvel". Desceu um camarada, de meia-idade e barrigudo, de charuto entre os dedos, um ar de prosperidade quase ultrajante. O amigo o cutucou: "Viste?". Roendo as unhas, rosnando nomes feios, Anacleto esperou quatro horas. Espiando o próprio relógio, à luz de um fósforo, gemia: "Demora mais que eu!". Por fim, na altura de meia-noite, saía o outro, obeso e feliz, num terno branco acintoso. A própria Netinha veio trazê-lo. E, do portão, deu adeusinho quando o carro dobrou a esquina. Para Anacleto era demais. Arremessou-se como um alucinado e invadiu a casa, aos gritos: "Sim senhora! Que papelão!". Mas a pequena o enfrentou, viril: "E não grita comigo que eu não admito!". Do fundo da casa veio o sogro. Interpelou-o: "Está pensando que isso é a casa da mãe Joana? Em absoluto!" Face a face com o velho, Anacleto esbravejava:

— Não me admira a sua filha! Mas o senhor, hein? O senhor!

— É isso mesmo!

E Anacleto: "Como é que o senhor admite que, na sua casa... Isso é papel, é? Um dia eu, outro dia aquele palhaço, nas suas barbas!". O velho foi esplêndido. Dedo em riste, arrasou-o:

— Você fala de barriga cheia! Pois fique sabendo que ele dava muito mais que você! O triplo, ouviu? O triplo! — E berrou a importância: — Mil e quinhentos cruzeiros, todo mês! Você nunca passou dos quinhentos! Suma-se da minha vista! Suma-se!

Foi corrido daquela casa aos berros de "Pão-duro! Unha-de-fome! Mendigo!". Muito tempo depois, em casa, em meio à solidariedade da mulher e das filhas, aquele chefe de família, ainda excitado, ainda heróico, resmungava:

— Desaforo!...

MARIDO FIEL

Discutiam sobre fidelidade masculina. Rosinha foi categórica:

— Pois fique sabendo: eu confio mais no meu marido que em mim mesma!

Ceci tem um meio riso sardônico:

— Quer dizer que você pensa que seu marido é fiel?

Replicou:

— Penso, não, é! Fidelíssimo!

A outra achava graça. Pergunta:

— Queres um conselho? Um conselho batata?

— Vamos ver.

E Ceci:

— Não ponha a mão no fogo por marido nenhum. Nenhum. O homem fiel nasceu morto, percebeste? Eu te falo de cadeira, porque também sou casada. E não tenho ilusões. Sei que meu marido não respeita nem poste!

Rosinha exaltou-se:

— Não sei do teu marido, nem me interessa. Só sei do meu. E posso te garantir que o meu é cem por cento. Ai dele no dia em que me trair, ai dele! Sou muito boa, tal e coisa. Mas a mim ninguém passa pra trás. Duvido!

BOBINHA

Ceci, que era sua amiga e vizinha, não tarda a sair. Sozinha em casa, ela fica pensando: "Ora veja!". Desde os tempos de solteira que tinha pontos de vista irredutíveis sobre a fidelidade dum casal. Na sua opinião, o único problema da esposa é

144

não ser traída. Casa, comida e roupa não têm a mínima importância. Tanto que, antes de casar com Romário, advertira:

— Passo fome contigo, o diabo. Só não aceito uma coisa: traição!

Diga-se de passagem que o comportamento de Romário, seja como namorado, noivo ou marido, parecia exemplar. Estavam casados há três anos. Até prova em contrário, ele fazia a seguinte vida: da casa para o trabalho e do trabalho para casa. Como amoroso, ninguém mais delicado, mais terno: mantinha, em plena vida matrimonial, requintes de namorado. Estirada na espreguiçadeira, Rosinha repetia de si para si: "É mais fácil eu trair Romário do que ele a mim!". Esta era a doce e definitiva convicção em que se baseava a sua felicidade matrimonial. De noite, quando o esposo chega do trabalho, ela se lança nos seus braços, beija-o, com uma voracidade de lua-de-mel. À queima-roupa, faz-lhe a pergunta:

— Tu serias capaz de me trair?

— Isola!

Teima:

— Serias?

E ele:

— Sossega, leoa!

Então, Rosinha conta a conversa que tivera com Ceci. O marido rompe em exclamações:

— Mas oh! Parei contigo, carambolas! Tu vais atrás dessa bobalhona? A Ceci é uma jararaca, uma lacraia, um escorpião! E, além disso, tem o complexo da mulher traída duzentas vezes por dia. Vai por mim, que é despeito!

CECI

Fosse como fosse, a conversa com Ceci marcara o espírito de Rosinha. Escovando os dentes para dormir, surpreendeu-se fazendo a seguinte conjetura: "Será que ele me trai? Será que ele já me traiu?". No dia seguinte, pela manhã, vai à casa de Ceci, que era contígua à sua. Começa:

— Não pense que eu sou boba, não. Se eu digo que meu marido não me trai é porque tenho base.

A outra, espremendo espinhas diante do espelho, admira-se:

— Como base?

Explica, animada:

— Pelo seguinte: eu sei tudo o que meu marido faz, tudo. Entra dia, sai dia e o programa dele é este: de manhã, vai para o emprego; ao meio-dia, almoço em casa; depois, emprego e, finalmente, casa. Nunca telefonei para o emprego, em hora de expediente, que ele não estivesse lá, firme como o Pão de Açúcar. Mesmo que Romário quisesse me trair, não poderia, por falta de tempo.

Ceci suspira:

— Ah, Rosinha, Rosinha! Sabes qual a pior cega? A que não quer ver. Paciência.

A outra explodiu:

— Ora, pipocas! Cega onde? Então quero que você me explique: como é que meu marido pode ser infiel se está ou no trabalho ou comigo? Você acha possível?

Resposta:

— Acho. Me perdoe, mas acho.

MARACANÃ

Passou. Mas no domingo, depois do almoço, Ceci apareceu para uma prosinha. Muito bisbilhoteira, percebe que Romário não está. Quer saber: "Cadê teu marido?". E Rosinha, lacônica:

— Foi ao futebol.

— No Maracanã?

— Sim, no Maracanã!

Ceci bate na testa:

— Já vi tudo! — E, radiante, interpela a vizinha: — Você diz que teu marido ou está contigo ou no trabalho. Muito bem. E aos domingos? Ele vai ao futebol e você fica! Passa a tarde toda, de fio a pavio, longe de ti. É ou não é?

Rosinha faz espanto:

— Mas ora bolas! Você quer coisa mais inocente do que futebol? Inocentíssima!

Excitada, andando de um lado para outro, Ceci nega: "Pois sim! E se não for futebol? Ele diz que vai. Mas pode ser desculpa, pretexto, não pode? Claro!". Pálida, Rosinha balbucia: "Nem brinca". A vizinha baixa a voz, na sugestão diabólica: "Vamos lá? Tirar isso a limpo? Vamos?". Reage: "Não vale a pena! É bobagem!''. Ceci tem um riso cruel: "Estás com medo?''. Nega, quase sem voz: "Medo por quê?''. Mas estava. Sentia uma dessas pusilanimidades pânicas que ninguém esquece. Ceci comandava:

— Não custa, sua boba! É uma experiência! Nós vamos lá e pedimos ao alto-falante para chamar teu marido. Se ele aparecer, muito bem, ótimo. Se não aparecer, sabe como é: está por aí nos braços de alguma loura. Topas?

Respondeu, com esforço:

— Topo.

O ALTO-FALANTE

Sob a pressão irresistível da outra, mudou um vestidinho melhor, pôs um pouco de ruge nas faces e dispensou o batom. Já na porta da rua, Rosinha trava o braço de Ceci. Grave e triste, adverte: "Isso que você está fazendo comigo é uma perversidade, uma malvadeza! Vamos que o meu marido não esteja lá. Já imaginou o meu desgosto? Você acha o quê? Que eu posso continuar vivendo com o meu marido, sabendo que ele me traiu?''. E confessou, num arrepio intenso: "Tenho medo! Tenho medo!''. Durante toda a viagem para o estádio, a outra foi se justificando: "Estou até te fazendo um favor, compreendeste?''. Rosinha suspira em profundidade: "Se Romário não estiver lá, eu me separo!''. A outra ralhou:

— Separar por quê? Queres saber duma? A única coisa que justifica a separação é a falta de amor. Acabou-se o amor, cada um vai para seu lado e pronto. Mas a infidelidade, não. Não é motivo. A mulher batata é a que sabe ser traída.

Quando chegaram no estádio, Ceci, ativa, militante, tomou todas as iniciativas. Entendeu-se com vários funcionários do Maracanã, inclusive o *speaker*. Rosinha, ao lado, numa docilidade de magnetizada, deixava-se levar. Finalmente, o alto-falante do estádio começou a chamar: "Atenção, senhor Romário Pereira! Queira comparecer, com urgência, à superintendência!''.

O APELO

O locutor irradiou o aviso uma vez, duas, cinco, dez, vinte. Na superintendência do Maracanã as duas esperavam. E nada de Romário. Lívida, o lábio inferior tremendo, Rosinha pede ao funcionário: — "Quer pedir para chamar outra vez? Por obséquio, sim?". Houve um momento em que a repetição do apelo inútil já se tornava penosa ou cômica. Rosinha leva Ceci para um canto; tem um lamento de todo o ser: "Sempre pedi a Deus para não ser traída! Eu não queria ser traída nunca!". Crispa a mão no braço da outra, na sua cólera contida: "Eu podia viver e morrer sem desconfiar. Por que me abriste os olhos? Por quê?". Sem perceber o sofrimento da outra, Ceci parecia eufórica:

— Não te disse? Batata! É a nossa sina, meu anjo! A mulher nasceu para ser traída!

Sem uma palavra, Rosinha experimentava uma angústia. Dir-se-ia que, de repente, o estádio se transformava no mais desagradável e gigantesco dos túmulos. Era inútil esperar. E, então, convencida para sempre, Rosinha baixa a voz: "Vamos sair daqui. Não agüento mais". O funcionário da ADEG ainda se inclinou, numa cordialidade exemplar:

— Às ordens.

Ao sair do estádio, ela repetia: "Eu não precisava saber! Não devia saber!". Ao que a outra replicava, exultante e chula: "O bonito da mulher é saber ser traída e agüentar o rojão!". Neste momento, vão atravessar a rua. Rosinha apanha a mão da amiga e, assim, de mãos dadas, dão os primeiros passos. No meio da rua, porém, estacam. Vem um lotação, a toda a velocidade. Pânico. No último segundo, Rosinha se desprende e corre. Menos feliz, Ceci é colhida em cheio; projetada. Vira uma inverossímil cambalhota no ar, antes de se esparramar no chão. Rosinha corre, chega antes de qualquer outro. Com as duas mãos, põe a cabeça ensangüentada no próprio regaço. E ao sentir que a outra morre, que acaba de morrer, ela começa a rir, crescendo. Numa alucinação de gargalhada, como se estivesse em cócegas mortais, grita:

— Bem feito! Bem feito!

MOMENTO DE AMOR

Peçanha veio ao encontro, de braços abertos:

— Imagina quem morreu, imagina!

— Quem?

O outro, baixando a voz e piscando o olho:

— O marido da tua pequena, do teu amor imortal!

Agarra-se ao amigo:

— Morreu? Mas é batata?

Peçanha recua, quase ofendido:

— Claro que é batata! Vim de lá, agorinha mesmo! Deixei Jandira subindo pelas paredes! — Pausa e acrescenta, em tom vago: — Sabe que é bonito ver uma viúva arrancando os cabelos?

A GRANDE PAIXÃO

Asdrúbal achou que devia fazer um comentário fúnebre: "Coitado do Moreira!". Mas o Peçanha, que não tinha papas na língua, bateu-lhe nas costas: "Deixa de ser cínico! Tu estás contentíssimo, feliz da vida!". Disfarça:

Espera lá! Estás pensando que eu sou algum abutre? Algum chacal?

A verdade, porém, é que recebe a notícia com envergonhada satisfação. Jandira fora e continua sendo a primeira e única paixão da sua vida. Uma briga boba os separara. E Jandira, pouco depois, não se sabe se por amor ou por simples pirraça, era vista de braço com o Moreira. Desde então o Asdrúbal dedicavase, como ele próprio admitia, a um mister exclusivo: roer uma dessas dores-de-cotovelo inextinguíveis. O patético foi quando soube, mais tarde, que Jandira esperava neném. O fato normalíssimo doeu, nele, como uma tarda e turva humilhação. E, certa noite, num bar com os amigos, ele, bêbado, batia no próprio peito: "Ainda há de ser minha!". Tempos depois, o destino parece dar razão ao despeitado: Moreira apanha câncer e morre em quarenta e cinco dias. Peçanha, que era um cínico, cutuca o amigo: "Confessa. Esse câncer foi ou não foi um alto negócio pra ti? Um negócio da China!". Rosna: "Não amola". E o outro, extorquindo a confissão: "Estás satisfeito ou não estás?". Acaba tendo uma explosão de sinceridade:

— Queres saber? Queres? — E adquire uma expressão de maldade: — Pois estou, pronto, satisfeitíssimo, ouviste?

Peçanha insiste:

— Trata de aproveitar. Vais correr numa pista livre. Mete as caras!

O FARSANTE

Dali, ele corre para o telégrafo. Depois de fazer vários rascunhos, chega à seguinte fórmula, que lhe pareceu satisfatória: "Solidário sua grande dor — Asdrúbal". Aparentemente, a sua adesão às homenagens fúnebres seria limitada ao telegrama. Mas não. Passou em casa, pôs um terno escuro, uma gravata preta, sapatos de verniz. Assim composto, olhou-se no espelho com uma satisfação profunda. O aspecto do próprio morto não seria tão sinistro. Em seguida parte para a capelinha. Plantado ao lado do caixão, das sete horas da noite às dez da manhã, ele não arredou o pé. E levava o seu papel com tanto brio que chegou a chorar. Alta madrugada, o Peçanha aparece por lá e quer arrastá-lo: "Vem fumar um cigarro lá fora". Asdrúbal move a cabeça negativamente. Na hora de carregar o caixão, ele se arremessa, pisando e empurrando todo mundo, na disputa das alças, com uma gana, uma intransigência, uma ferocidade inexcedível. E representou tão bem que, no cemitério, já não sabia se estava fingindo ou não.

Todos olhavam para ele, comovidos pela dor de um amigo tão sincero.

A VIÚVA

Na volta do cemitério, o Peçanha veio dando conselhos táticos: "Uma dor de viúva dura quarenta e oito horas". Fez espanto: "Só?". Peçanha ri, sórdido: "Eu já acho muito". E continuou:

— Daqui a três dias, arranja um pretexto e aparece.

— Ou telefono?

— Faz as duas coisas, seu animal: telefona e aparece.

Asdrúbal segue o conselho. Primeiro, bate o telefone. Encontra a viúva ainda sofrida, mas controlada. Ele, realmente comovido, comenta: "Eu quero que você conte comigo, ouviu?". E repetia, trêmulo: "Conte comigo!". Jandira, que o vira chorar no enterro, que o vira conquistar bravamente uma alça, enterneceu-se também:

— Eu sei que você é meu amigo! Eu confio em você!

O FILHO

Passou cerca de um mês telefonando diariamente para a pequena, a título de solidariedade.

Explicava: "Os amigos são para essas ocasiões".

Pouco a pouco, foi conhecendo a vida de Jandira. E desde logo percebe o seguinte: morto o marido, o filho, Paulinho, então com três anos, reinava na casa. Ela vivia por ele e para ele; prostrava-se a seus pés, como se o garoto fosse um menino-Deus. Do outro lado da linha, Asdrúbal, impressionado, balbuciava: "Compreendo, compreendo". O fato, porém, é que esse pirralho, tão absorvente, o assustava. Foi consultar o Peçanha. Este foi taxativo como sempre; e simplificou:

— Isso é literatura, percebeste? Conversa fiada. Dá-lhe duro! Dá-lhe duro!

RENÚNCIA

Asdrúbal vacila uns três ou quatro dias mais. E, por fim, decide-se. Vai visitar a menina. Conversam sobre vários assuntos e, súbito, ele baixa a voz:

— Sabe que eu te amo? Sabe? Que sempre te amei?

Ela estava sentada. Ergueu-se, tremendo.

— Não posso. Sou apenas mãe de meu filho. Deixei de ser mulher.

De pé, também, Asdrúbal não sabe o que dizer, o que pensar. Desconcerta-se: "Mas uma coisa não impede a outra". Insiste; argumenta; pede; implora. Por fim, suspirando, Jandira admite:

— Bem. O motivo não é esse. A verdade é que... — Pára e continua: — Antes de morrer meu marido fez-me jurar que me casaria com qualquer um, menos com você.

— Por quê?

E ela, torcendo e destorcendo as mãos:

— Ele sempre teve ciúmes de você... Eu jurei, compreendeu? Jurei diante de um homem que estava morrendo... Não pode haver nada entre nós, nada!...

Asdrúbal controlou-se, disfarçou. Mas a verdade é que sentia uma raiva patente e obtusa contra o morto. "Animal! Animal!", era o que dizia e repetia em sua voz interior. Teve, todavia, tato bastante para a pergunta: "Mas nada disso impede que continuemos amigos, não é?". Jandira suspira: "Lógico!". Asdrúbal despede-se, cordialmente. Lá fora, porém, vai procurar o inevitável Peçanha. "Dei com os burros n'água!", é o que anuncia ao amigo. Resume o episódio. Peçanha acende um cigarro:

— Esse negócio de juramento é conversa, não vale um caracol. Em todo caso, há outro golpe: o menino. Ela gosta do menino, é louca pelo menino. Muito bem. Pensa numa chantagem qualquer com o garoto. Faz uma chantagem com o garoto.

A CHANTAGEM

Durante quarenta e oito horas, Asdrúbal pensa nos meios de conquistar a criança. Com aparente boa-fé, dedicou-se a cortejar Paulinho da maneira mais deslavada. Levava chocalhos para o menino; cornetas; bolas; o diabo. E mais, em plena sala, deixa-se montar por ele, embora Jandira protestasse: "Mas não faça isso!". Com o tempo, o garoto passou a adorá-lo. Saíam juntos, os dois, quase todas as tardes. Até que chegou o Natal. Asdrúbal vai passear com Paulinho. Uma hora depois, bate o telefone para Jandira. Foi sumário e brutal:

— Estou aqui, com o teu filho, no meu apartamento. Ou tu vens buscá-lo, sozinha, sem dizer nada a ninguém, ou eu mato teu filho. Escolhe. Teu amor pela vida do teu filho! Tu vens?

Ela teve uma brevíssima hesitação:

— Vou, já, já.

Quando, pouco depois, ela entra no apartamento, o garoto dormia, num quarto fechado. Aproxima-se, dócil, indefesa; baixa a cabeça: "Estou morta". E nem ao menos pergunta pelo menino. Asdrúbal move a cabeça, numa amargura medonha: "Assim não quero teu amor. Leva teu filho, leva". E repete: "Assim não quero". Jandira, porém, continua no mesmo lugar.

— Você não quer, mas eu quero. Agora eu quero!

Atira-se nos seus braços. Abraçada ao rapaz, beija-o como se tivesse fome e sede de sua boca.

A FUTURA SOGRA

O velho era um alto funcionário do Tesouro.

Quando o filho apareceu dizendo que queria casar, seu Daniel ergueu-se. Esfregando as mãos, fez uma série de considerações gerais, inclusive esta:

— Faz bem, meu filho. — E acrescenta em tom profundo: — É a lei da natureza, da qual não podemos fugir.

E, súbito, faz a pergunta:

— Que tal a mãe da tua pequena?

Admirou-se:

— Por que, papai?

E o velho:

— Meu filho, é o seguinte: eu aprendi que uma boa mãe resulta numa boa filha. Digamos que tua futura sogra seja uma esposa cem por cento fabulosa. Tua pequena também o será. Compreendeste? Batata, meu filho, batata.

Edgar atrapalha-se:

— Bem, papai. Que eu saiba, minha sogra é uma senhora seriíssima. Nunca vi, nem ouvi, nada de mais, nem de menos.

Seu Daniel pôs-lhe a mão no ombro:

— Se é assim, ótimo. Mas apura primeiro. E não te esqueças: num casamento, o importante não é a esposa, é a sogra. Uma esposa limita-se a repetir as qualidades e os defeitos da própria mãe.

O SOGRO

Edgar saiu dali sob uma impressão profunda. No ônibus lotado, segurando numa argola, vinha pensando: "Ora veja! Que teoria! Que mentalidade!''. Sempre ouvira do pai, a propósito de tudo, e de qualquer assunto, as opiniões mais inesperadas e extravagantes. O velho passara na família por original ou, mais propriamente, por maluco. Ao descer do ônibus, rumo à casa da namorada, quase noiva, resumiu: "Papai é um número: uma bola". Todavia, ao apertar, pouco depois, a mão da futura sogra, olhou-a com uma curiosidade nova. D. Mercedes, de origem espanhola, era uma senhora de quarenta anos, conservada, bem-feita de corpo e com um olhar de uma doçura muito viva. Durante todo o tempo que permaneceu lá, Edgar pergunta de si para si mesmo, numa obsessão: "Será que ela traiu?". Procurava com os olhos o sogro, que ele achava, textualmente, um "grande praça". Chamava-se Wílson e era um velho barrigudo e divertido, mas duma grande saúde interior. Coincidiu que, nessa noite, surgisse na casa uma discussão sobre fidelida de masculina. Uma garota da vizinhança, muito petulante, afirmava: "O homem fiel nasceu morto! Não acredito em homem fiel!". Então, seu Wílson gritou: "Protesto!". Todos os olhares se fixaram nele. O velho ergueu-se, patético:

— Juro, ouviu? Juro pela alma do meu filho que morreu que nunca traí minha mulher, nunca!

Dizia isso com os olhos rasos d'água.

TEORIA

O filho a que seu Wílson se referia morrera tempos atrás, atropelado, com a idade de nove anos. Fora um golpe medonho para o velho. E, quando ele jurava pela criança morta, todos acreditavam piamente. No dia seguinte, Edgar passou na casa do pai para contar-lhe o episódio. Seu Daniel ouviu tudo, atentamente. Quando o filho acaba, ele rosna: "Espeto, espeto!". Edgar toma um susto: "Ué!''. Então, o velho explica:

— Digo espeto pelo seguinte: num casal, há fatalmente um infiel. Ou a mulher ou o marido. A existência de uma vítima é inevitável, percebestes?

O filho pôs as mãos na cabeça:

— Tem dó, papai, tem dó! Pelo amor de Deus! Então, o senhor está insinuando o quê? Que é preciso trair para não ser traído?

E o velho:

155

— Exatamente. Isso pode não ter lógica, mas infelizmente é a verdade. E se teu sogro é o fiel da casa, não ponho a mão no fogo pela tua sogra. Repara que os maiores canalhas são amadíssimos.

Desta vez, o filho perdeu a paciência:

— Ora, papai, ora! Que espírito de porco o senhor tem! Isso é raciocínio que se apresente?

Seu Daniel suspirou:

— Se você não quer acreditar, paciência. Lavo as minhas mãos!

OS NOIVOS

Passou. Dias depois, seu Daniel, sob a pressão do filho, ia à casa de Eduardina fazer o pedido oficial. Ficaram noivos. Ao voltar, mais tarde, Edgar num entusiasmo delirante, pergunta ao pai:

— O senhor não acha que eu tive gosto, papai? A Eduardina não é uma pequena e tanto? Não é?

O velho coça a cabeça:

— Estou na dúvida, percebeste? Estou na dúvida. Pra te ser franco, não sei qual é melhor: se tua noiva, se tua sogra. Te juro que não sei! Páreo duríssimo entre as duas!

Surpreso e inquieto, Edgar quer saber: "Mas o senhor acha que há comparação?". Seu Daniel esfrega as mãos, numa satisfação gratuita e profunda:

— Acho. Vou te dar outro palpite indigesto, meu filho, um palpite que não vais gostar. É o seguinte: não te aproximes muito de tua sogra. Fica de longe. Tua sogra é um perigo, um autêntico abismo!

O filho esbugalha os olhos:

— Que idéia o senhor faz de mim, papai? O senhor pensa que eu não tenho sentimento de família? De honra? Dignidade?

Seu Daniel interrompe friamente:

— Eu penso, meu filho, que tu és um homem. E qualquer homem, diante de uma mulher como a tua sogra, pode dar com os burros n'água!

AS CARTAS ANÔNIMAS

Fosse como fosse, as palavras do seu Daniel produziram no filho um sentimento curioso, misto de fascinação e de nojo. Nem

156

dormiu direito: e, pela primeira vez, teve medo de que as sugestões do pai o contaminassem. Procurou evitá-lo, tanto mais que o velho sempre que o via piscava o olho e cutucava: "Como vai a tua sogra?". Nem respondia, com medo de explodir num desaforo pesado. Fazia, de si para si, uma reflexão que repugnava à sua natureza sentimental: "Acabo odiando o meu pai!".

Um dia, recebe em casa uma carta anônima, a primeira de sua vida. Lê, relê o papelzinho ignóbil. Lá dizia sumariamente: "Rapaz, desmancha teu noivado e dá em cima da tua sogra. Tua sogra é duzentas vezes melhor do que tua noiva". O tom ordinaríssimo, a sordidez infinita, tudo na carta o alucinava. Interessante é que, desde o primeiro momento, teve a certeza inapelável, definitiva, da identidade do remetente. Voou para o Tesouro, fora de si.

Com um ar de louco, exibe a carta infame. Pergunta, com a voz estrangulada: "Foi o senhor que escreveu isso? Responda, meu pai! Foi o senhor?". Falava surdamente para que as outras pessoas não ouvissem. Seu Daniel, pálido, não respondeu. Ele insiste: "Seja homem, meu pai! Foi o senhor?". Seu Daniel responde, afinal: "Fui". O filho arqueja: "Por quê?". O velho apanha um cigarro:

— Fiz isso em teu benefício. É a minha opinião, ouviste? Tua sogra só oferece vantagens. Tua noiva, não. Tua noiva pode ser a tua morte. E das duas uma: ou ela vai te trair ou já está traindo.

Edgar ergueu-se, quase chorando:

— Meu pai, guarde bem a palavra que eu vou lhe dizer: o senhor é um canalha, meu pai!

FINAL

Como conseqüência do incidente, saiu de casa, passou a viver num hotel. Não fez nenhum segredo do rompimento. Avisou à noiva, à sogra, ao sogro, a todo mundo: "Pra mim, meu pai está morto, enterrado! E nem admito que ele assista ao meu casamento!".

Pois bem. Uma tarde, está no emprego, quando o chamam no telefone. Era a sogra, espavorida: "Venha, já, já, aconteceu uma desgraça!". Dez minutos depois, ele chegava. Assim que o viu, a sogra, aos soluços, deu-lhe a notícia:

157

— A Eduardina fugiu! E com o teu pai! Fugiu com o teu pai!

Estava presente toda a família da garota. A primeira reação de Edgar foi uma espécie de vertigem. Suas pernas dobraram, sua vista ficou turva. Súbito, ele se recupera. Experimenta uma feroz e obtusa necessidade de vingança, de compensação. Arremessa-se como um tigre, um abutre, um javali, sobre a sogra. Agarra-a. Quer beijá-la na boca.

O sogro teve que lhe dar uma bengalada.

A HUMILHADA

No segundo dia do casamento, às três horas da tarde, o marido lia um jornal. E, de repente, boceja. Regina não pôde evitar a exclamação:

— Ih, meu filho!

— O quê?

E ela:

— Tão feio o que você fez!

Teve um espanto honesto: "Mas o que foi que eu fiz?". Ela, repreensiva, embora sem prejuízo de sua doçura habitual, observou:

— Bocejou na minha frente!

— Ué! E não posso? Por quê? Todo mundo não boceja, inclusive você?

O protesto veio imediato e irreprimível:

— Eu, não! Tenha a santíssima paciência, mas na sua frente nunca bocejei! É ou não é? É, sim!

E, com efeito, fina, educada, escrupulosa, Regina conseguira eliminar dos seus hábitos e modos tudo o que ela própria achava deselegante. Tinha horror de espirrar diante de terceiros. Acordava mais cedo do que o marido, para que ele não lhe visse a cara de sono; e se havia doença que a exasperasse eram os resfriados, que dão as corizas. Idealizara, para si e para o marido, uma vida conjugal muito doce e perfeita. Houve um momento, durante o noivado, em que sugeriu quartos separados para quando se casassem. Alegava que assim preservariam melhor a ilusão amorosa. Mas Guilherme saltou como uma fera:

— Não senhora! Em absoluto!

— Por quê?

— Porque sim, ora bolas! Ou está me achando com cara de palhaço?

DURA REALIDADE

Casaram-se, um dia. Ela, com dezessete anos, criança e lírica; ele, com vinte anos, amigo da sinuca, torcedor do Flamengo, meio farrista. Esperava-se que mudasse com o casamento. Regina, que o adorava, punha a mão no fogo pelo seu amado: "Muda, sim! Há de mudar!". Reagia, bravamente, contra os venenos: "Guilherme é perfeito!". E o fato é que entrou na vida matrimonial pronta para ser a mais feliz das mulheres. Na primeira manhã de lua-de-mel, tomaram banho juntos. No décimo quinto dia, sua mãe telefona, curiosíssima:

— Como é que vai o negócio?

Respondeu, com o fervor da esposa recente:

— Ah, mamãe. Nunca pensei que o casamento fosse tão bom! Sou tão feliz, mas tão!

— Antes assim, antes assim.

Mas certas coisas já a aborreciam. Antes de mais nada, o prosaísmo do marido. Após uma relativa e efêmera cerimônia, que durou de dois a três dias de lua-de-mel — ele relaxava, evidentemente. Por exemplo: ela pedira ao marido que não usasse gíria. A princípio, Guilherme controlou a linguagem. Mas era, por índole e educação, um desbocado. Acabou explodindo: "Sossega, leoa-de-chácara! Sou contra chiquê!". Regina gemeu: "Paciência!". E teve que suportar a gíria deslavada do marido. Por fim, ela se contagiou e já usava certas expressões, tais como "velhinho", "de arder", "araqueado" etc. etc. Justificava: o hábito e a convivência são um caso sério. Mas o fato é que suas ilusões iam, rapidamente, desaparecendo. Não que se julgasse infeliz. Isso, não. Quanto mais não fosse, tinha certeza de uma coisa: da fidelidade do marido. Dizia:

— Enquanto ele não me passar pra trás, não me trair, vai tudo num mar de rosas.

Uma vizinha fez o veneno: "Mas olha que não há homem fiel. O homem fiel nasceu morto". Regina insultou-se:

— Não sei se outros não são, nem me interessa. O meu é.

Não tardou a acusar os sintomas de gravidez. Quando o médico confirmou o estado, voltou para casa, comovidíssima. No ônibus, veio de pé, enquanto sujeitos fortes, atléticos, viajavam solidamente sentados. Pensou: "Se eles soubessem que eu estou grávida...". E só imaginava a surpresa maravilhosa do marido quando ela desse a notícia. À tardinha, chegou Guilherme. Deu-lhe um beijo frívolo na face. Já em mangas de camisa, sentou-se para ler, no jornal, a página de futebol. Então, nervosíssima, os olhos marejados, Regina diz:

— Eu estou!

— O quê?

Baixa a cabeça:

— Vou ter neném!

Guilherme encostou o jornal, atônito: "No duro? Batata?". Na sua emoção, na sua candura, Regina suspira:

— Assim disse o médico. Garantiu.

Apanhou de novo o jornal; rosnou:

— Que espeto!

Passado o encanto da lua-de-mel, via na maternidade só os aspectos desagradáveis, sobretudo o problema econômico. Perdia muito dinheiro no jóquei, na sinuca e... Continuou a ler o jornal de cara amarrada.

O INFERNO

Dois, três meses depois, estava tão desenvolvida que uma vizinha arriscou a hipótese: "Vai ver que são gêmeos!". Aterrada, bateu na madeira: "Isola!". Deu para enjoar, tinha vertigens constantes. O pior, porém, não eram as atribulações naturais do estado. O pior era a conduta do marido. Ele mudara por completo. Chegava tarde e, quase sempre, com o hálito de álcool; era desatencioso, grosseiro mesmo. Ora, Regina era muito doce, muito amorosa, doida por um carinho. Tinha, porém, seu amor-próprio. Fechou-se em si mesma, com a reflexão: "Deus é grande!". No dia em que sentiu as dores do parto, o marido não estava em casa. Alguém foi correndo levar o aviso na sinuca. Ele passava o giz no taco, para tentar uma bola difícil. Ouviu a notícia e, com toda a calma e segurança, fez a jogada; e mais: completou a partida. Só então veio para casa. Quando chegou, a filha já estava em cima da toalha felpuda, nuazinha e perfeita. Entrou no quarto e ia sair quando a mulher, exausta de tanto sofrer, perguntou:

— Você não me beija?

A FILHA

Chamou-se Sônia, a menina. E seu nascimento não mudou a vida do casal. Os anos se passaram, um a um. E, com o tempo, todos os escrúpulos do marido desapareceram. Não tinha hora de chegar em casa. Certa vez, Regina, desesperada, ia protestar. Ele, porém, cortou: "Não admito, ouviu? Não admito!". Regina ergueu o rosto, sem medo: "Está bem, está bem. Mas você fica avisado: no dia em que eu souber que você me traiu, já sabe". Ele rosnou um "não amola" e encerraram ali o incidente.

Três anos mais tarde, ela encontrou, na camisa do marido, marca de batom. Fez a advertência sintomática: "Olha que eu ainda sou bonita!". Já naquela época, seu consolo único era a filha, que crescera, doce e linda, e muito agarrada à mãe. Com pouco mais, não houve dúvida possível: tinha a certeza, líquida, definitiva, de que ele a enganava de todas as maneiras possíveis e imagináveis. Recebeu cartas e telefonemas anônimos. Doía-se na carne e na alma; uma vez, teve a reflexão desesperada: "Ah, se eu tivesse coragem de trair, também!". Um primo, de segundo ou terceiro grau, a cortejava, há algum tempo, com discrição, de uma maneira quase imperceptível. Essa ternura constante e suave lhe fazia um bem imenso. E quando, afinal, ele se declarou, Regina, chorando, foi muito clara:

— Eu sei que meu marido não presta, não vale nada, mas... É minha filha. Deus me livre que, um dia, minha filha me acuse...

O rapaz admitiu:

— Tem razão. Eu compreendo. Mas, assim mesmo, espero, esperarei sempre.

DECISÃO

Quando Soninha fez treze anos, o pai andava com um caso mais complicado que os anteriores. Era um romance tenebroso com uma morena cheia de corpo, desbocada e agressiva. A fulana vivia telefonando para Regina e a descompondo nos termos mais vis. Sônia, já mocinha, via e ouvia tudo, sem um comentário. Era um tipo fino, frágil, cujo olhar intenso fazia supor uma alma profunda. Regina vivia alarmada; dizia para o primo: "Imagina se Sônia desconfia que eu e você...". Não tinha havido, entre os dois, nada; era o que se chama um amor rigorosamente platônico. Todavia, no seu escrúpulo, Regina não queria que a menina desconfiasse nem do sentimento. Até que, um dia, o pai apareceu bêbado em casa. Viu a mulher e teve uma maldade gratuita e obtusa de irresponsável. Esbofeteou-a e, depois, riu ignobilmente, como se a bofetada despertasse não sei que sombria, que misteriosa crueldade nas profundezas do seu ser. Então, a filha, que aparecera na porta, atraída pelo barulho, caminhou para Regina, agarrou-a pelos dois braços, sacudindo-a com inesperada energia:

— Larga esse homem agora! Larga! Sai desta casa! Agora, anda!

Toda a sua doçura de menina se fundia em paixão, ódio. Então, subitamente serena, Regina compreendeu que certas esposas precisam trair para não apodrecer.

O GATO CEGO

O menino era a adoração daquela família de mulheres. Homens, ali, só mesmo o pai, um médico frustrado, e Bebeto, o filho único, então com cinco anos. Criado nas saias da mãe, das tias, da babá negra, submetido a um carinho extremo e histérico, o guri saíra um fenômeno. Apesar da idade, ainda usava chupeta e, na falta desta, metia os cinco dedos na boquinha glutona e os chupava, ferozmente. No dia em que completou os cinco anos, fez-se na sala um círculo de tias, no centro do qual colocaram Bebeto. Então, uma das tias inclinou-se e fez a pergunta:

— Meu filho, quando você crescer, quer ser o que, hein, meu filho?

Nenhuma resposta. Com o dedinho no nariz, intimidado, o pirralho parecia incerto da própria vocação. Uma das tias, com a habitual falta de graça dos adultos, sugeriu a blague antediluviana:

— Presidente da República, é?

Risos. Então, o pai, que estava fumando um charuto ordinaríssimo, aproximou-se. Espiou por cima de vários ombros e decidiu:

— Vai ser médico, pronto. Médico como o pai!

MEDICINA

De noite, no quarto, dr. Sinval, que era o pai, e d. Detinha, que era a mãe, tiveram um pequeno bate-boca conjugal a respeito. No seu preconceito contra a medicina, a mulher perguntava:

— Médico pra quê? Pra morrer de fome, como tu?

164

Em pé, no meio do quarto, o marido desabotoava a camisa. Ofendeu-se:

— Você já morreu de fome, já? Sossega, leoa!

A verdade é que o dr. Sinval carregava nas costas o peso de um duplo fracasso, na clínica e no lar. Ele próprio, com uma brutal amargura, bufava: "Sou um fósforo apagado na minha própria casa!". Todas as suas opiniões eram consideradas, textualmente, "palpite errado". Desconsiderado pela esposa e pelas cunhadas, seu único e escasso prazer na vida limitava-se aos charutos, cujo odor sufocava. Mas, com o hábito da derrota, dr. Sinval já se preparava para uma nova frustração na pessoa do filho. E, súbito, acontece um pequeno fato transcendente que fez inclinar a balança a seu favor. Tinha Bebeto oito anos quando o surpreenderam, certa vez, de canivete em punho, raspando as pernas de um passarinho vivo. Pronto! Como discutir uma evidência tão espetacular? Apanhando a avezinha ainda latejante, d. Detinha precipitou-se para dentro, numa euforia convulsiva. Exibiu o pássaro sem pernas, como um troféu minúsculo e incomparável.

— Dá pra médico! Dá pra médico!

De noite, quando o marido chegou, d. Detinha anunciou, patética:

— Vai ser cirurgião!

DESTINO

Passou. Bebeto, tratado sempre na palma da mão, cresceu, fez o ginasial etc. etc. Quando estava para entrar na faculdade, o dr. Sinval o requisitou: "Vem cá, meu filho, vem cá!". Catou nos bolsos um charuto, cortou nos dentes a ponta do charuto e indagou: "Qual é o ramo de medicina que você prefere?". O rapaz não titubeou. Olhou para o teto e largou a bomba:

— Quero ser veterinário.

Estava sendo sincero. O ex-estripador de passarinhos virara a mão: tomava-se, agora, de uma piedade atroz dos animais. Não podia ver um cão vadio e sarnento no meio da rua, que não lhe fizesse festas, o diabo. Mas o pai, que sonhava para o filho uma clínica fabulosa, caiu das nuvens. E, pela primeira vez, perdeu a paciência e a compostura: "Veterinário, imagine!". E foi para a cidade rosnando: "Esse meu filho saiu-me uma boa besta!". Durante uma semana, andou amarguradíssimo, ruminando o problema. E chamou o filho outra vez, para uma nova conversa, entre quatro paredes. Tratou de dissuadi-lo: "Sabes o que é que interessa, em medicina? Batata? Queres saber?". Baixou a voz: "Psiquiatria!". E o rapaz: "Por quê?". Acendendo um dos seus hediondos charutos, o velho expandiu-se:

— Porque psiquiatria é uma mina, um negócio da China.
— No duro?

Dr. Sinval, veemente, repetiu: "No duro, sim". Argumentou com o próprio caso:

— Eu sou médico parteiro. E que ganhei com isso? — Ele próprio respondeu, com um humor sinistro: — Dívidas e calotes. Ninguém me paga. As clientes espetam, ouviste? Penduram as contas, vê se te agrada.

O DRAMA

A mãe de Bebeto e as tias benziam-se só de ouvir falar em psiquiatria. D. Detinha interpelou o marido: "Você quer que o Bebeto vá tratar de malucos?". Acrescentava, para os lados: "Deus me livre!". No fundo o que a assustava era a possibilidade de que um dos futuros clientes do filho o esganasse, num acesso homicida. Dr. Sinval teve que esclarecer:

— O Bebeto pode fazer psicanálise.

Explicou que a psicanálise não oferecia o menor perigo, nem para o médico, nem para o doente. Aventurou uma blague segundo a qual o mais perigoso dos dois era, ainda, o psicanalista. Impressionada, d. Detinha pediu outras explicações. Então, o dr. Sinval, mascando o charuto, afirmou:

— Sabe o que é a psicanálise, para encurtar conversa? Um bate-papo.

— Como assim?

E ele, convicto: "O médico senta e o cliente deita. Os dois se põem a conversar e pronto. Isso é a psicanálise". Houve, em torno, uma impressão profunda, que tocou o próprio Bebeto. D. Detinha engoliu em seco: "Só?". Confirmou: "Só". E foi acrescentando:

— Ainda por cima, o seguinte: o analisado não é doente nem aqui, nem na Cochinchina. Na maioria das vezes, tem uma saúde de ferro e vai lá porque não tem o que fazer e pode pagar duas mil pratas por sessão.

Ao longo dos meses, dos anos, dr. Sinval foi defendendo seus pontos de vista com obstinação. E não há dúvida que, em casa, as mulheres estavam tentadas por tamanha facilidade. Finalmente, Bebeto chegou ao último ano de medicina. Sem que o dissesse a ninguém, trazia, no mais íntimo de si mesmo, a melancolia do veterinário frustrado. Capitulara ante a psiquiatria porque era um fraco da vontade e porque a mãe e as tias haviam concordado. Avisara, porém, com a necessária antecedência: "De maluco, eu não trato". Formou-se. Mas os colegas juravam, num exagero jocoso e cruel, que ele não saberia aplicar uma injeção, nem receitar um comprimido de dor de cabeça. No dia em que voltou da missa de formatura, reuniu-se de novo a família. Dr. Sinval disse na ocasião:

— Agora, só está faltando um consultório, mas olha: é indispensável que seja um consultório com ar de boate. O ar de boate é o x do problema.

Então, com seu jeito de triste, Bebeto permitiu-se um desabafo: "O diabo é que eu não entendo tostão de psiquiatria!". Mas o pai estava lá, vigilante, e atalhou, definitivo:

— Não entende, nem precisa entender. Além disso, não te esqueças disso: tu vais tratar de pessoas absolutamente sãs.

O filho, que não tinha um caráter muito firme e fora estragado pelos mimos, rosnou, numa pusilanimidade total: "Espeto! Espeto!". De noite, na hora de dormir, a mãe foi levar-lhe, como de hábito, uma xícara de mate morno. Bebeto suspirou. Teve um lamento arrancado de suas profundezas:

— Eu quis tanto ser veterinário!

INAUGURAÇÃO

Aquelas mulheres, economizando tostão a tostão através dos anos, tinham juntado uma quantia substancial. E, assim, pôde montar-se, no centro da cidade, um consultório que parecia extraído das *Mil e uma noites* e oferecia no seu aspecto todo o ar necessário de uma boate. Era uma coisa tão bonita e insólita que d. Detinha exigiu do marido: "Olha, Sinval, você não pode fumar aqui seus charutos. Fume onde quiser. Aqui não". Prontamente ele atendeu. Foi à janela, atirou em cima de um bonde um dos seus mata-ratos inenarráveis. No fundo deu razão à mulher, pois lhe pareceu que fumar um charuto barato naquele ambiente seria uma profanação. Inaugurou-se, numa quinta-feira, o consultório quase oriental. Dr. Sinval, com as duas mãos nos bolsos, olhando de um lado para outro, inclusive para cima, com uma euforia de pai do proprietário, exclamou:

— Com esse troço aqui, tu podes cobrar, no barato, duas mil pratas por sessão!

Mas, nessa noite, o novel analista entrou em casa com um gatinho que encontrara, numa sarjeta, miando com a mais patética das sinceridades. Na cozinha deu leite num pires ao pequeno e solitário animal. Depois sentou-se na cadeira de balanço, com o gatinho no colo. E o afagou, horas a fio, com a mais desesperada das ternuras.

PRIMEIRA CLIENTE

A primeira cliente que se submeteu à psicanálise do Bebeto foi uma grã-fina, loira e linda, que pagou as duas mil pratas da sessão com lânguida naturalidade. Estava ali porque, quinze dias atrás, enfiara um cigarro aceso na vista de um gato, cegando-o. Fumando um outro cigarro, e com divertida curiosidade, perguntava ao jovem médico, dono de um consultório tão bonito:

— Isso quer dizer o quê?

Durante um longo, um infinito minuto, ele não respondeu nada. Súbito, estendeu a mão:

— Quer me ceder, um momento, o seu cigarro?

Sem compreender, a grã-fina atendeu. Ele arremessou-se, então. Dominou-a rapidamente. Calcou, num dos seus olhos azuis e lindos, a brasa do cigarro. Largou-a, cega, enchendo o edifício com seus gritos. Quando arrombaram a porta e invadiram a sala de psicanálise, ele, de braços cruzados, esperava, sem medo e sem remorso. Primeiro, foi levado para a delegacia. Depois, tiveram que interná-lo.

O HOMEM FIEL

Até o quinto encontro, Simão foi um namorado exemplar. Tratava a pequena como se fora uma rainha e maio. levava-lhe, todos os dias, um saco de pipocas, ainda quentinho, que comprava num automático da esquina. Encantada, Malvina vivia dizendo para a mãe, as irmãs e as vizinhas: — "É o maior! O maior!". Mas no sexto encontro fez-lhe uma pergunta:

— Tu acreditas em Deus?

Respondeu:

— Depende.

Admirou-se:

— Como depende?

Simão foi de uma sinceridade brutal:

— Acredito, quando estou com asma.

Malvina recuou, num pânico profundo. No primeiro momento, só conseguiu balbuciar: — "Oh, Simão!". Mas ele, com a sinceridade desencadeada, continuou:

— Com asma, eu acredito até em Papai Noel!

Então, Malvina, que tinha suas alternativas místicas, rebentou em soluços. Por entre lágrimas, exclamava: — "É pecado! É pecado!". E gemeu, ainda:

— Deus castiga, Simão, Deus castiga!

O ASMÁTICO

O pranto da menina não estava nos seus cálculos. Era, no fundo, um sentimental, um derramado, e só faltou ajoelhar-se aos seus pés. Pedia, fora de si: — "Perdoa, meu anjo, perdoa". A garota apanhou o lencinho na bolsa, assoou-se e teve a acusa-

169

ção infensiva: — "Você é mau, Simão!". Apaixonado pela menina, tratou de reconquistá-la: — "Escuta, coração". E começou a explicar que não perpetrara nenhuma troça cruel e sacrílega. Afirmou que todos os seus defeitos e todas as suas qualidades, inclusive a fé, eram de fundo asmático. Exemplificou:

— Quando eu me casar, hei de ser fiel. Mas podes ficar certa: — como tudo o mais, a minha fidelidade há de ser de fundo asmático.

A menina toma um choque. Por um momento, esqueceu a irreverência que, a princípio, lhe parecera diabólica. Já que ele falava em fidelidade, ela dispõe-se a esquecer a duplicidade de ateu intermitente e de crente eventual. Era uma dessas criaturas para quem tudo se resumia no problema de "ser ou não ser traída". Agarrou-se a ele:

— Responde: — tu não me trairás nunca?

Bufa:

— Com minha asma, eu não agüento nem com uma, quanto mais com duas mulheres!

E ela:

— Meu filho, quero te dizer uma coisa: — topo fome, pancada, tudo, menos traição. Traição, nunca!

Simão agarrou a pequena. Beijou-a na face, na boca e no pescoço. A mão correu pelas costas, afagou-a nos quadris. Com as nádegas crispadas, Malvina sentia-se agonizar, morrer. Ele disse, já com dispnéia:

— O asmático é o único que não trai!

Até o dia em que se fizeram noivos, foi este o único incidente. Daí por diante, não se podia desejar maior concordância de tudo: — de educação, de temperamento, de gosto, de inteligência. Ele se dividia entre as duas: — a garota, que era a sua paixão, e a asma que, de quando em vez, o acometia. Na primeira vez em que o viu com acesso, ela compreendeu subitamente tudo. Na casa dos pais, de bruços sobre a mesa, o infeliz pedia:

— Andem sem sapatos, andem de meia!

Até um som parecia agravar as suas tremendas dificuldades respiratórias. E a família andava realmente na ponta dos pés, ou descalça, falando baixo ou não falando. Malvina voltou apavorada. Na sua impressão profunda, disse para a mãe e para as irmãs:

— Agora eu compreendo por que um asmático não pode ter amantes!

Ficaram noivos e marcaram o casamento para daí a seis meses. Malvina adquirira idéias próprias sobre a felicidade matrimonial. Doutrinava as amigas:

— Descobri que o marido doente é uma grande solução. Pelo menos, não anda em farras!

Protestaram: — "Nem oito, nem oitenta!". Então, na sua veemência polêmica, ela argumentou com o próprio caso pessoal:

— Por que é que eu briguei com o Quincas? Ele tinha uma saúde formidável e que me adiantou? Me traía com todo mundo e não respeitava nem minhas irmãs!

Era verdade. O antecessor de Simão era um rapaz atlético, de impressionante perfil, moreno como um havaiano de Hollywood. Mas Malvina, que o amava com loucura e, além disso, tinha vaidade do seu físico, rompera por causa de suas infidelidades constantes e deslavadas.

AS BODAS

Graças a Deus, não teve, jamais, com o Simão o problema da fidelidade. Até com a noiva ele era moderadíssimo. E se a menina, na sua patética vitalidade, expandia-se demais, o rapaz atalhava: — "Não exageremos, meu anjo". Ela, que se gabava de ter controle, obedecia, imediatamente. Até que chegou a véspera do casamento. Na altura das duas da noite, Simão despediu-se. Malvina, amorosíssima, veio levá-lo até o portão. Suspirava: — "Falta pouco, não é, meu filho?". E quando o noivo já partia Malvina o retém, com o pedido: — "Dá um beijo, mas daqueles!". — E já entreabria, já oferecia a boca, num anseio de todo o ser. Ele, porém, recua: — "Não, meu bem, não!". Pergunta, sem entender: — "Por quê?". E ele:

— Bem. É o seguinte: fui, hoje, a um novo médico e ele disse que eu não devia me emocionar.

— Ué!

O noivo insistiu:

— Pois é. Pediu que eu tivesse cuidado com a lua-de-mel, porque esse negócio de amor mexe muito com a gente e pode provocar uma crise.

Atônita, Malvina não teve o que dizer. Contentou-se com o beijo que Simão lhe deu na face e voltou. Houve o casamento: — no civil, às duas e meia, e o religioso, às cinco. Como ameaçasse chuva, Simão voltou da igreja atribuladíssimo. No automóvel, veio dizendo, já ofegando:

— Imagina tu a calamidade em vinte e oito atos: — estou sentindo uns troços meio esquisitos!

Malvina, muito doce e muito linda no vestido de noiva, balbucia:

— Isola!

PRIMEIRA NOITE

Passaram, rapidamente, pela casa dos pais da noiva. No convite, estava a advertência: "Cumprimentos na igreja". Malvina mudou a roupa, despediu-se dos parentes de ambos os lados e partiram de táxi, para a nova residência, um apartamento não sei onde. Esta ventando e Simão, no pavor da asma, explodiu: — "Espeto! Espeto!". De braço com o marido, no táxi, Malvina quis ser otimista: — "Não há de ser nada!". Pois bem: chegam no apartamento. A pequena, que, há tanto tempo, sonhava com aquele momento, atira-se nos braços do noivo: — "Beija-me! Beija-me!". Há esse primeiro beijo, que a menina, fora de si, quer prolongar. Súbito, Simão desprende-se. Ela tenta retê-lo, mas o rapaz a empurra. Arquejante, uns olhos de asfixiado, está dizendo:

— A asma! A asma!

Atira-se em cima de uma cadeira, imprestável. Estupefata ela protesta: — "Mas logo agora!". E ele, liquidado: — "O beijo atrai a asma!". Malvina está desesperada. Vem sentar-se ao seu lado. Simão, porém, a escorraça: — "Pelo amor de Deus, não fala comigo! Vai dormir...". A pequena ainda quis acariciá-lo nos cabelos, mas ele a destratou: — "Vocês só pensam em sexo!". Era demais — sem uma palavra, ela foi para o quarto, ao passo que o marido, na sala, desmoronado, arquejava como um agonizante. Assim passaram a primeira noite e mais: as quinze noites subseqüentes. Só na décima sexta é que Simão começou a melhorar. Então, Malvina foi visitar a mãe. E, lá, diante da velha, explodiu em soluços:

— Eu sou a esposa que não foi beijada, mamãe.

A velha quis, em vão, consolá-la. Saiu de lá mais desesperada do que antes. O marido a recebe com a seguinte idéia: —

"Descobri, minha filha, que o beijo provoca asma. Vamos rifar o beijo". Resposta: — "Você é quem sabe". Mas três dias depois Malvina liga para o Quincas:

— Você pode ser cínico, sujo, canalha, mas sabe amar.

Conversaram uma meia hora. No fim, Quincas passou-lhe a rua e o número de um apartamento, em Copacabana. No dia seguinte, Malvina foi lá.

DESPEITO

O marido era ciumento ou, como ela dizia, suspirando, "ciumentíssimo". Se Marlene ria um pouco mais alto, pronto. Vinha o mundo abaixo. O fato é que ele achava a gargalhada da mulher quase uma demonstração de impudor. Marlene esboçava um protesto:

— Mas que foi que eu fiz, criatura? Eu não fiz nada!

E ele, ressentido, quase ultrajado:

— Fez, sim! Quem ri desse jeito é gentinha!

Teve que eliminar a gargalhada dos seus hábitos. E, junto de Rafael, sofria de inibições tremendas, incapaz de olhar, de sorrir, de conversar com naturalidade. A família e as amigas estranhavam: "Que é que há? Você que era tão alegre". Respondia, com involuntária amargura: "Rafael é um caso sério!". Em voz baixa, dizia para as amigas íntimas: "Não me dá uma folga. Faz uma marcação tremenda. Desconfia até de poste!". Houve quem sugerisse:

— Não seja boba! Reaja!

Reagir como? E o que ninguém sabia, nem Marlene estava disposta a confessar, é que tinha medo do marido. Rafael possuía um desses temperamentos de ópera, de *Cavalleria rusticana;* era um bárbaro contido. Certa vez, fizera uma ameaça concreta. Apertando entre as mãos o rosto da esposa, disse, falando quase boca com boca:

— Se me traíres um dia, eu te mato, juro que te mato!

FIDELIDADE

Marlene podia dizer, a propósito dos ciúmes do marido: "Rafael fala de barriga cheia". Semelhante desabafo podia ser prosaico, mas era expressão da verdade. Casada há três anos e meio, jamais sua conduta permitira a mais tênue suspeita, o mais vago equívoco. Nenhuma vida mais límpida, mais sem mistério. Chegava a exagerar a compostura de esposa. Não privava com outro homem que não fosse com o marido, os cunhados e os próprios irmãos; não dançava senão com Rafael ou, no máximo, com Leocádio, o único amigo que merecia do marido confiança total. Rafael vivia dizendo:

— Confio mais em Leocádio que em meus irmãos.

Assim honesta, assim fiel, ela pasmava as amigas que, com alegre frivolidade, de uma maneira desapaixonada e apenas esportiva, tinham romances extraconjugais. Seu espanto era sincero e patético: "Como é que você tem essa coragem?". Muitas replicavam mais ou menos assim: "Teu dia chegará!". E houve uma, mais desabusada que as outras, que a desafiou:

— Tu ainda gostas do teu marido?

— Evidente!

— Não acredito. Tem santa paciência, mas não acredito.

— Por quê?

E a outra:

— Porque nenhuma mulher pode gostar do mesmo homem por mais de dois anos. E já é muito!

— Que horror!

— É isso mesmo! Batata, minha filha!

A VIAGEM

De qualquer maneira, a conversa com a amiga irresponsável fez-lhe um mal pavoroso. Pela primeira vez, esboçou a hipótese: "Será que eu?...". Experimentou um arrepio de medo e volúpia; e tratou de pensar noutra coisa. Daí a dias, o marido aparece com a notícia: ia ter que correr as praças da Europa com o chefe. Ela fez a pergunta: "E eu?". Rafael suspirou:

— Você fica. Mas o negócio é rápido. Um mês, no máximo.

A tal amiga, quando soube, telefonou: "Parabéns, parabéns! Aproveita, sua boba". E reforçou: "A título de experiência. Uma vez só". Marlene protestou, com veemência, de uma maneira quase agressiva. Mas experimentou, outra vez, um arrepio. A verdade é que levava, no mais íntimo de si mesma, as palavras da outra: "Nenhuma mulher pode gostar do mesmo homem por mais de dois anos". Fechou os olhos e fez os cálculos: estava casada com o marido há três. Gostava dele ainda? Era o mesmo sentimento? A mesma coisa? Pouco depois, estava diante do espelho pondo ruge e pó; e, olhando a própria imagem, pensou: "Não, não é a mesma coisa". Na véspera da partida, Rafael teve com a mulher uma conversa patética. Antecipando os ciúmes, repetiu a ameaça: "Se, na minha ausência... Eu te mato, ouviste?". Dez minutos depois, ele confessava, com heróica sinceridade: "Não, eu não te mataria, nunca. A ti, não. Mas sim o cara que tivesse a coragem, a ousadia!...".

No dia seguinte, pela manhã, Marlene levava o marido ao aeroporto. Quando o avião de quatro motores levantou vôo — ela experimentou um sentimento de liberdade absoluta.

O AMIGO

Voltou para casa, eufórica. Antes de embarcar, o marido a advertira: "Não te quero de conversinha com homem nenhum. Tu só podes conversar com o Leocádio. É o único!". Já em casa, ela cantarolou, passou os dedos no piano. A sensação de uma liberdade completa a embriagava. Tomou um banho muito longo e delicioso; acariciou a própria nudez como uma lésbica de si mesma. Pintou-se, perfumou as mãos, os braços, o pescoço; vestiu o seu melhor quimono, calçou as chinelinhas de arminho. Não tinha nenhum plano concreto, nenhuma vontade definida e, no entanto, preparara-se com deleite e com minúcia, como se esperasse alguém. Sentou-se perto do telefone e discou um número. Atendeu, do outro lado, uma voz de homem. Marlene identificou-se e fez o pedido: "Eu queria um favor teu, Leocádio". Ele foi dizendo: "Pois não, pois não". Baixou a voz: "Quer dar um pulinho aqui em casa? Agora?". Leocádio parecia surpreso: "Alguma novidade?". Ela evitou a resposta direta: "Queria conversar contigo". O telefonema, o chamado, tudo nascera de um impulso misterioso e inexplicável. Estava agindo sem premeditação e ela própria não se reconhecia a si mesma nessa leviandade. Finalmente, Leocádio chegou. Parecia triste e nervoso. Ela explicou o chamado: "Estou me sentindo muito só... Queria que você me fizesse companhia...". Leocádio, que estava sentado, ergueu-se. Perdera a naturalidade:

— Bem. Vamos fazer o seguinte: eu tenho um compromisso agora. Volto dentro de meia hora, quarenta minutos. OK?

PERSEGUIÇÃO

E não voltou. Até então, Marlene estava incerta dos próprios desígnios. Sentia-se confusa e espantada. Correu ao espelho e se olhou, com uma atenção nova e grave. Dir-se-ia que a imagem refletida era a de uma desconhecida. Livre da sujeição ao marido, queria não sei que experiências inéditas e encantadas. As amigas falavam de carícias que Rafael não admitia. Esperou a volta de Leocádio quarenta minutos, uma hora, duas. E nada. Irritou-se e a irritação clareou seus sentimentos. Sabia agora o que queria. Ligou para a amiga leviana. Esta aplaudiu logo, interessada: — "Tens peito, hein! Assim que eu gosto!". Deu uma orientação: "Quando o homem começa com chique, com nove-horas, a mulher deve ter a iniciativa. Claro! O golpe é dar em cima! Por que não?". Marlene balbuciou: "Deus me livre!". Mas a outra, empenhada no caso como se estivesse em jogo um interesse pessoal, insistiu: "Vai por mim!". Ficou Marlene sem saber o que fazer. Havia, no cinismo da outra, uma perversão que a atraía e repugnava. Acabou ligando para Leocádio. Ele foi o mais efusivo possível:

— Você vai me desculpar, meu anjo. Mas sabe como é: houve um contratempo e eu não pude ir. Mas apareço aí de noite, com minha noiva.

Então, Marlene teve uma atitude de inesperada audácia. Disse: "Com sua noiva, não!". Foi um grito tão espontâneo, irresistível, que surpreendeu a ambos. Leocádio, sem entender, perguntava: "Por que não com minha noiva?". Ela já se adiantara muito e não podia recuar. Firme, viril, mordendo as palavras, foi dizendo: "Quero você. Só você. E ninguém mais. Compreendeu?". Admitiu, num sopro: "Compreendi". Ela ainda sublinhou: "Pelo amor de Deus, não me faça ser mais clara". Mais tarde telefonou para a amiga, para contar as novidades. A outra desmanchou-se em felicitações:

— És das minhas! És das minhas! E amanhã, já sabes, quero um relatório completo!

Deu folga à empregada. Queria estar só, absolutamente só. Preparou-se, de novo, com um requinte absoluto. Fez questão, sobretudo, das chinelinhas de arminho, que achava, não sei por que, um detalhe bonito e voluptuoso. De repente, batem na porta. Corre, vai abrir. Era um mensageiro, com um cabograma do marido. Leu, com uma espécie de náusea: "Milhões beijos, morto saudades". Rasgou a mensagem e atirou os pedacinhos de papel pela janela. Continuou a expectativa, até duas, três horas da manhã. Foi se deitar, chorando com exclamações: "Cretino! Cretino!". Pela manhã, telefonou, magoadíssima: "O que você fez comigo não se faz. Não é papel!". Acabou, num desafio: "Você parece que tem medo de mim!". Ele definiu a situação:

— Pois tenho medo de você. Muito. Medo. Porque eu gosto de você, sempre gostei.

Marlene agarrou-se às suas palavras: "Eu também. Eu também". Então, o rapaz na sua calma amargurada, concluiu:

— Mas eu não traio meu maior amigo. Nunca. Prefiro meter uma bala na cabeça a trair meu maior amigo. É só.

Marlene teve uma explosão histérica no telefone:

— Sua múmia! Seu imbecil! Palhaço!

A VINGANÇA

Não saiu mais de casa, não foi a lugar nenhum. Só despertava da sua dor extática, obtusa, para descompor Leocádio no telefone. Usava as expressões mais baixas, os termos mais ordinários. Ele ouvia tudo até o fim, sem desligar. Finalmente, findo o prazo de um mês, voltou o marido, em outro avião de quatro motores. Vinha, realmente, louco de saudades, certo de que a maior mulher do mundo era a sua. Tomaram o táxi e, durante a viagem, Marlene disse, com o rosto marcado pelo sofrimento e pelo ódio:

— Esse teu amigo, o cachorro do Leocádio, sabe o que me fez? Me pegou à força, me deu um beijo e anda atrás de mim como um cão!

Uma hora depois, Rafael entra pelo escritório de Leocádio. Ao vê-lo, este teve uma exclamação de afetuosa surpresa. Rafael puxou o revólver e atirou nele quatro vezes, à queima-roupa. Leocádio morreu e não teve tempo, ao menos, de desfazer a expressão de cordialidade, quase doce.

AS CHAGAS DO MENDIGO

A coleguinha barrou-lhe a passagem:

— Vem cá um instantinho, Marlúcia

Levou-a para um canto. Lá, pigarreou e fez a pergunta:

— É verdade que estás namorando aquele rapaz?

— Qual deles?

E a amiga:

— O do Buick. É verdade?

Marlúcia titubeou:

— Bem. Não é propriamente namoro. Flerte. Por enquanto é flerte.

A coleguinha recuou, num deslumbramento misturado de inveja. Esticou a mão, enfática:

— Toque aqui. E, se queres um conselho, te agarra, minha filha, te agarra com unhas e dentes.

— Por quê?

Chamava-se Florisbela a amiga. Pôs-lhe a mão no braço:

— Pra teu governo: eu soube, de fonte limpa, que esse cara é podre de rico, cheio! Dinheiro ali é mato! Aproveita, sua boba!

Marlúcia ergueu o rosto, chocada:

— Você pensa que eu sou interesseira?

E a outra, taxativa:

— Não sei se você é interesseira, nem interessa. Mas que dinheiro ajuda, ajuda!

O FILHINHO DE PAPAI

Num instante a notícia do namoro se espalhou. E o deslumbramento lavrou, desenfreado, no meio de suas relações. E vamos e venhamos: com um Buick espetacular e cinematográfico, Heriberto era um desses partidos feéricos que só acontecem uma vez na vida de uma mulher. Aparentemente, tinha todas as qualidades do céu e da terra. Usava os melhores ternos do Rio de Janeiro; era forte, bonito, com uns antebraços de estátua; pertencia a uma família fabulosa. Contava-se, a título anedótico, que, na sua infância, o pai dava-lhe cédulas de quinhentos mil-réis e o instigava: "Rasga, meu filho, rasga!". Monumental, o velho Heriberto! Era dessas figuras vorazes que os jornais de escândalo chamam de tubarão. Com sua barriga de ópera-bufa, os charutos nababescos, a religião do dinheiro e uma bestial falta de escrúpulos — fez do filho um pobre-diabo enfeitado. Doutrinava-o nos seguintes termos:

— Dinheiro compra tudo! Até amor verdadeiro!

Heriberto acreditou, piamente, na filosofia paterna. Só agia na base do suborno, como se uma voz interior o inspirasse: "Paga! Paga!". O dinheiro escorria-lhe por entre os dedos como água. Era assim em tudo, inclusive na vida sentimental. Tinha verdadeiro horror das mulheres desinteressadas:

— Essas que não querem nada estão escondendo o jogo. No fim, vai-se ver e querem mais!

A FILHA DO CONTÍNUO

Fosse como fosse, encontrava em toda a parte uma tal facilidade que já bocejava de tédio. Aos vinte e três anos, parecia ter uma alma de velho e sentia-se no limiar de uma neurastenia talvez irremediável. Foi por essa época que, de passagem pelo Encantado, viu Marlúcia. Gostou do seu tipo miúdo, de sua graça suburbana, dos seus cabelos compridos. De qualquer maneira, seria uma variante na sua vida e nos seus hábitos. Apareceu outras vezes no Encantado e, um belo dia, os moradores espicharam o pescoço. Num embasbacamento mais do que justo, viam a flor local passeando na calçada com o moço bonito do Buick. Diga-se, desde logo, que o interesse de Heriberto foi sempre enorme. Tudo na pequena o surpreendia e deleitava. Era a filha de um velho contínuo da Caixa Econômica. Esta humildade de origem impressionou o rapaz, que só conhecia grã-finas. Ao seu lado, saboreava tudo o que havia, nela, de graça espontânea e irresistível. No terceiro ou quarto dia de namoro, Heriberto aparece com o primeiro presente. Ela pergunta, inquieta:

— O que é isso?

E ele:

— Veja.

Marlúcia desembrulhou: era um anel, com uma pedra muito bonita. Atônita, virou-se para ele:

— Você não acha que ainda é cedo?

CONVITE

Dois dias depois, ele traz um novo presente. Desta vez, porém, ela foi terminante: "Você me desculpe, mas eu não quero, nem aceito". Heriberto se espanta:

— Por quê?

— Vou ser franca contigo, meu anjo. Eu te acho quase perfeito.

— Quase?

— Quase, sim. Porque você tem um defeito: o seu dinheiro. — Pausa e conclui: — Sinceramente, eu gostaria que você fosse pobre.

Ele, porém, tanto insistiu, e foi tão amoroso que, por fim, Marlúcia cedeu: guardou a segunda jóia, suspirando. Impressionado, Heriberto pergunta: "Mas vem cá: você não gosta de jóias?". Marlúcia dá a resposta inesperada:

— Gosto dos teus beijos!

Heriberto sai dali muito espantado. Conta o episódio a um amigo. Este ouve atentamente e resume: "Queres minha opinião? Abre o olho, que esta pequena é uma vigarista!". Heriberto formulou, para si mesmo, a hipótese: "Quem sabe?". Dois dias depois, entre um beijo e outro, ele sugere:

— Irias comigo a um lugar, assim assim?

Estavam sentados num banco de jardim. Marlúcia ergue-se, atônita: "Você tem coragem de me propor uma coisa dessas?". E ele, desfigurado, sórdido: "Mas que é que tem? Tão natural!". Quer agarrá-la. Marlúcia, porém, desprende-se, com inesperada agilidade. Encara-o, com um olhar duro:

— Eu não te disse que o dinheiro era um defeito? Não disse?

Ele, desconcertado, quer convencê-la. Marlúcia aponta: "Estás vendo ali?". Indicava um mendigo, roto, imundo, que vinha passando e que falava sozinho. Diz a última palavra:

— Só serei tua quando apareceres assim!

181

O rapaz quis retê-la. Marlúcia, irredutível, abandonou-o no meio do jardim. Heriberto teve a sensação de que a perdera para sempre.

DESESPERO

Telefonava para o vizinho e a resposta era fatal: "Não está, nem sabe quando volta". Mandava bilhetes, que a pequena rasgava antes de ler. E mais: quando aparecia, na porta, um mensageiro com flores, respondiam: "Não mora aqui". Ele, em pessoa, fumando um cigarro atrás do outro, ia rondar a sua residência, na esperança de revê-la. Marlúcia, porém, não aparecia. O velho contínuo da Caixa Econômica solidarizou-se com o brio da menina:

— Dá-lhe duro! Dá-lhe duro!

Só a vizinhança estranhava: "Essa pequena está dando um pontapé na sorte!". Já as jóias, autênticas e caríssimas, haviam sido devolvidas. Então, o filhinho de papai rico, com o espírito trabalhado pelo sofrimento e pelo amor impossível, mudou seus habituais modos. Chegava em casa alta madrugada e sempre bêbado. Quase não comia e acusava um impressionante desleixo. Passava quinze dias com o mesmo terno, dez com a mesma camisa. Os amigos tentavam levantar seu ânimo. Diziam: "Não passa de uma vigarista!". E mesmo o pai o chamou à ordem. Ele, porém, encerrou o assunto com uma resposta malcriada. E quando o velho, dois meses depois, morreu, Heriberto fez quarto sem uma lágrima, numa atitude desinteressada, quase alvar.

O MENDIGO

Até que chega a notícia: Marlúcia estava noiva! Heriberto não fez um comentário. Desde então, porém, com ordem, com método, passou a dispor de todos os seus bens. Dir-se-ia que se apoderara dele a mais generosa das loucuras. Inundou de dinheiro parentes, amigos, conhecidos e até desconhecidos; espalhou as jóias da família. E quando não tinha de si mais um tostão, nada, abandonou tudo. Já parecia incontestável que era um louco a mais na face da terra. Durante dois ou três meses, não se teve notícia do rapaz. Uma tarde, Marlúcia, de braço com o noivo, passeia pela calçada. O casamento estava marcado para o dia seguinte. De repente, o casal vê aproximar-se aquele mendigo cambaleante, de barba à Monte Cristo e olhar incandescente. Está coberto de úlceras e estende a mão de dedos magros:

— Sou eu!

Foi o bastante. As pessoas que vinham passando ou estavam na janela viram a cena inverossímil: Marlúcia atirou-se nos braços do miserável. Escorrega ao longo do seu corpo; de joelhos, abraçada às pernas do mendigo, soluça:

— Agora sim! Agora eu serei tua, para sempre! Tua!

FLOR DE LARANJEIRA

Baixou a voz:

— Sabe qual é o golpe?

— Qual?

E ele, com a boca encostada no seu ouvido:

— Você mata o serviço hoje e vamos ao cinema. Topas?

Hesitou, numa tentação deliciosa. Antes de capitular, porém, bateu na mesma tecla:

— Então jura que não és casado, jura.

Recuou, quase ofendido: "Mas você duvida? Não te jurei umas quinhentas vezes? Não te dei minha palavra? Parece até que você não tem confiança em mim!". Era um namoro recentíssimo, de três ou quatro dias. Educada no santo e necessário horror ao homem casado, Carmelita duvidava ainda, duvidava sempre. Acabou admitindo o cinema, com uma última condição:

— E você promete que, lá, fica quietinho, promete?

Enfiou as duas mãos nos bolsos:

— Prometo, prometo. E vamos chispar que está em cima da hora!

Mas quando chegaram no Metro a Carmelita viu que era filme nacional; refugou: "Não gosto de cinema brasileiro. Não tolero!". Cabeleira perdeu a paciência. Na porta do Metro, foi cínico, foi brutal:

— Tu pensas que eu vim ao cinema contigo para ver fitas? Tem dó. Vamos entrar, anda. Olha que eu me zango contigo!

Lá dentro, ele atrás da pequena, soprou: "Vamos para cima". Argumentou: "É mais discreto". Nova resistência: "Não vou. Pra cima, não vou". Então, Cabeleira resolveu ser enérgico. Segurou a pequena pelo braço, arrastou-a: "Que bobagem! Vamos!". Sentaram-se no canto mais discreto e vasto do cinema. Uns cem segundos depois, no apogeu do suplemento nacional, resolve desfechar seu primeiro beijo. Agiu de maneira decisiva e fulminante, esmagando qualquer resistência. Teve, então, a surpresa. Beijada, Carmelita punha-se a respirar alto, forte, como se faltasse ar, numa dispnéia tremenda. Ao mesmo tempo, ele sentia que as mãos da pequena gelavam. Olhou para os lados, assustadíssimo, já prevendo que o vaga-lume aparecesse ali e fizesse incidir sobre eles a lanterninha acusadora. Chamava, em voz baixa: "Fulana! Fulana!". E pedia:

— Não faz escândalo! Não faz escândalo!

Cinco minutos depois, percebendo que Carmelita estava mais ou menos recuperada, teve a iniciativa de propor: "Vamos embora, vamos?". Saíram. E, na rua, impressionado, perguntou:

— Mas que foi que houve contigo?

Ainda arrepiada, admitiu, doce e triste:

— Gostei demais!

DRAMA

Procurou disfarçar o mais possível. Mas já era outro homem e seu interesse sofrera uma queda vertical. Quando se despediram, ela apertou na sua a mão do rapaz:

— Vou te dizer uma coisa

— Diz.

Baixou os olhos:

— Eu nunca tinha sido beijada. Quero ver minha mãe morta se estou mentindo. Você foi o primeiro homem a me beijar. — Pausa e completou: — E eu espero que seja o último.

Deu a face para que ele a beijasse e balbuciou o pedido: "Telefone, sim?". Saiu dali desesperado. E, mais tarde, com um amigo, contou o episódio: "Beijei uma pequena, um beijo sem maiores pretensões, e ela só faltou subir pelas paredes". O outro, de lábio trêmulo, confessou:

— Essa é das minhas. Gosto de mulher assim.

185

Cabeleira suspirou:

— Nem oito, nem oitenta. Tomei um tal enjôo, que já não acho mais a mínima graça na fulana. Vou chutá-la.

O CHUTE

No dia seguinte, ela o esperava no seu melhor vestidinho, gordinha e linda. Recebeu-o com um ar de humildade, de adoração e anunciou: "Sabe que eu tive um sonho contigo? Mas não posso contar, porque...".

— Porque o quê?

Desviou a vista:

— Porque é impróprio para menores.

Foi essa ternura que o decidiu. Pigarreou e disse:

— Preciso te contar um negócio muito sério.

E ela:

— Fala.

Sem uma palavra, ele enfiou a mão no bolso, apanhou uma aliança, que colocou no dedo adequado. Atônita, Carmelita parecia não entender. Mas era óbvio: Cabeleira pousava agora a mão esquerda em cima da mesa, com a aliança evidente, inequívoca, insofismável. Durante alguns momentos, olharam-se em silêncio. Com uma doçura inimaginável, ela perguntou:

— Casado? Você é casado?

— Sou. Casado no civil e no religioso. Pai de filhos e outros bichos. Moro com minha mulher, gosto dela, não me separo nem a bacamarte.

Quando Carmelita começou a chorar, ele, tomado de uma pena súbita, apanhou-lhe a mão: "Mas que é isso? Ora essa!". De repente, começou a falar de si mesmo: "Fiz um papel contigo indecentérrimo. Sabes que a teu lado eu me sinto um canalha?". A pequena assoou-se no lencinho. Apanhou a bolsa, ergueu-se:

— De hoje em diante, nunca mais fala comigo.

PERSEGUIÇÃO

Em casa, Cabeleira custou a dormir: "Que sujeira abominável!". Só conseguiu anestesiar a consciência quando chegou, de boa-fé, à seguinte conclusão: "Foi melhor assim. Foi mais negócio, inclusive pra pequena". Mas, no dia seguinte, a própria Carmelita, em carne e osso, comparecia ao seu escritório. Conversaram no corredor. E a menina, com uma dignidade muito doce, deu o dito por não dito. Esteve realmente lancinante ao concluir: "Gosto de ti assim mesmo, de qualquer maneira, casado ou solteiro, com filhos ou sem filhos". Durante umas quarenta e oito horas, Cabeleira viveu dominado pela maior e mais dolorosa perplexidade. Não sabia o que pensar, o que fazer. Andou saindo com a menina e insistia: "Pensaste bem?". Respondia, com uma coragem alarmante: "Contigo vou ao fim do mundo!". Foram ao cinema e, na saída, Carmelita tem um lamento:

— Você não me beijou. Você não me deu nem um beijinho.

O AMIGO

Coincidiu que, por essa época, Cabeleira encontrou-se na rua com o Carvalhinho. Este se arremessou de braços abertos, numa efusão de arrepiar. Dois anos atrás, ele arranjara um convite do High-Life para o Carvalhinho. Este se tomara de uma gratidão agressiva e selvagem. Desde então, queria, a todo o transe, manifestar o seu reconhecimento. E não lhe ocorrera uma fórmula mais eficaz do que oferecer o seu apartamento. Sempre que encontrava o Cabeleira, oferecia, lembrava: "Quando tiveres uma pequena, já sabes: o apartamento está às ordens". Celebrava as vantagens do local: "Discretíssimo. Água fria e quente, vista para o mar". Até aquela data, o Cabeleira não tivera oportunidade de recorrer à gentileza do Carvalhinho. Ao vê-lo agora, porém, bateu na testa: "Tenho uma pequena, assim assim...". O outro o interrompeu, aos berros:

— Pois então? Leva pro apartamento. Não dorme no ponto. Mulher não se enjeita.

A CHAVE

Era óbvio que a gratidão do Carvalhinho estava mais acesa do que nunca. Não havia hipótese de esquecer o convite. Quando o amigo se despediu, deixou a chave do fabuloso apartamento. Criou-se, para Cabeleira, o dilema. Quando viu a pequena fez o convite; mas insistiu: "Olha que eu sou casado e não posso me casar". E ela:

— Não faz mal. Vou assim mesmo.

Segundo a combinação feita, ela devia estar lá às quatro horas da tarde. Muito antes, já o Cabeleira entrava no tão falado apartamento do Carvalhinho. E justiça se lhe faça: esse apartamento, decorado não sei por quem à maneira árabe, abismou o Cabeleira. Esteve no banheiro, experimentando a água fria e quente; afundou nas poltronas, que eram realmente espetaculares. Torturado de escrúpulos pensava: "Não tenho direito de fazer isso. Vou desgraçar essa pequena". Na hora certa, com uma pontualidade patética, chegava Carmelita. Vinha tão segura de si, com tão firme e desesperada determinação de pecar, que o rapaz se crispou: "E não tens medo?". Encarou-o, serena:

— Por que e de quê? Não há mulher mais feliz do que eu.

Então, Cabeleira, que era sentimental como o diabo, segurou a pequena pelos dois braços: "Sua boba, eu não sou casado, nunca fui casado. Essa aliança é de araque!". Pausa e, já com vontade de chorar, disse o resto:

— Tu vais sair daqui agorinha mesmo, já. Nem te beijo. Faço questão de me casar contigo, de véu, grinalda e outros bichos!

CURIOSA

A princípio não ligou, não prestou atenção. Mas certa vez, numa festa, o Carvalhinho o cutucou:

— Abre o olho, rapaz! Abre o olho!

Não entendeu:

— Por quê?

— Esse teu negócio com a mulher do Paiva está dando na vista.

Esbugalhou os olhos:

— Nem brinca! Sou amigo do Paiva até debaixo d'água! E pára com essa brincadeira, sim?

Discutiram em voz baixa; o Carvalhinho insistiu: "Não amola! Ela não tira os olhos de ti! Te dá cada bola tremenda!". Em vão, o Serafim, realmente assustado, bateu nos peitos: "Te juro! Te dou minha palavra de honra!". Carvalhinho acabou criando a alternativa:

— Ou tu dás em cima dela ou ela dá em cima de ti. Não tem escapatória!

O SEDUZIDO

Então, alertado pelo amigo, Serafim começou a reparar. E, de fato, até o fim da festa, fez uma série de observações, que aumentaram a sua confusão. De perto ou de longe, dançando ou descansando, Jandira o olhava de uma maneira intensa, permanente e comprometedora. A princípio, o rapaz quis polemizar consigo mesmo: "Faz isso sem maldade!". Mas teve que se convencer, afinal. Esse olhar, que o perseguia, não comportava duas interpretações e... Tomou um susto quando ouviu o convite inesperado:

— Vamos dançar essa, Serafim?

Era Jandira. Ele balbuciou, num constrangimento dramático: "Pois não! Pois não!". Saíram dançando e, instantaneamente, teve a sensação de que todos os olhares se crivavam nele e Jandira. Possivelmente, o Paiva, como o principal interessado, estaria olhando também e com a pulga atrás da orelha. Ela colava o corpo, juntava o rosto. De repente, em pleno fox, Jandira, quase sem mover os lábios, pergunta:

— Você não percebeu nada ainda?

— Como?...

E ela, frívola e lânguida:

— Ih, meu Deus do céu! O pior cego é aquele que não quer ver!...

Quando a música parou, Jandira, desencantada e com certa irritação, suspira: "Você é mais bobo do que eu pensava!". Ele, fora de si, foi inteiramente incapaz de um comentário. Desgovernado, afastou-se, atropelando várias pessoas. Durante uns cinco minutos, esteve na varandinha que dava para o jardim, recebendo no rosto, no peito, a frescura noturna. O Carvalhinho foi lá interpelá-lo, alegremente: "Como é? Negas agora?". Pendurou-se no amigo:

— Vou te pedir um favor, um favor de mãe pra filho.

— Fala.

Baixou a voz:

— Não comenta isso com ninguém, pelo amor de Deus! Nem com tua mãe!

Carvalhinho, impressionado com o romance descoberto, indagava: "Mas quer dizer que é batata?". Tentou resistir: "Não!". Bateu na mesma tecla: "Sou amigo do Paiva e a Jandira é como se fosse minha irmã!". O amigo bufou:

— Você é um vigarista! Parei com teu cinismo!...

O ROMANCE

Cinco dias depois, estava o Serafim no escritório quando aparece o Carvalhinho. Baixa a voz: "Você foi visto, ontem, nas Laranjeiras, de braço com a Jandira!". Serafim quis falar, não saiu o som. E Carvalhinho, numa satisfação cruel, permitiu-se o luxo de dar conselhos: "Vocês andam se expondo muito. Cuidado!". Então, o Serafim, inteiramente indefeso, sem moral, pu-

xou o outro: "Senta aí! Senta aí!". Gemeu: "Estou numa sinuca
de bico!". Faz para o amigo, curioso e voraz, um apanhado da
situação. Era, de fato, velho amigo do casal. Durante anos e anos,
jamais lhe roçara o espírito a hipótese de que pudesse ser outra
coisa senão amigo de Jandira, fraterno amigo. E, súbito, há a
tal festa, na qual recebe a primeira insinuação. No dia seguinte,
a pequena telefona e, com pasmo e horror para Serafim, faz-lhe
uma declaração completa. Tentou resistir, mas foi envolvido irremediavelmente. Passaram aos encontros. Agora, no escritório, Serafim desabafava:

— Vê se pode! É ela quem tem a iniciativa, quem propõe
os passeios, quem dá os beijos!

Carvalhinho, maravilhado, exclamou: — "Não é nada sopa, hein?". O pior de tudo era o remorso de Serafim. "É uma
sujeira ignóbil. Sou amigo do marido, veja você! Amicíssimo!".
Carvalhinho ergueu-se:

— Querem um conselho? Aproveita, rapaz! Mete as caras!
Mulher não se enjeita!

Serafim dramatizou:

— Estou me sentindo um canalha! Um patife!...

PÉRFIDA

Durante uns dois dias, quebrou a cabeça: "Isso não se faz!
Se fosse um estranho, vá lá. Mas mulher de amigo é sagrada...".
Enfim, chegou a uma decisão e prometeu, heroicamente, a si
mesmo: "Vou acabar com esse negócio". No telefone, procurou
ser viril: "Vou te avisando — é o nosso último encontro! O último!". No dia seguinte, houve a derradeira entrevista em Cos-
me Velho. Discutiram. Insistiu: "Você não vê que não está certo? Não está direito?". Jandira, porém, cega e dominada, não
atendia a nenhum raciocínio: "Quero e pronto!". Diante dessa
obstinação, ele fez-lhe uma série de perguntas:

— Vem cá, explica um negócio: eu me lembro que, há pouco tempo, tinhas uns ciúmes danados do Paiva.

— Ainda tenho.

Estacou, assombrado: "Mas tem como? Se você não gosta
dele?". Respondeu com simplicidade:

— Gosto, sim. Quem foi que disse que eu não gosto do
meu marido?

Recuou atônito. E, de um momento para outro, o remorso de pouco antes se fundia num sentimento agudo e novo, de ciúme, de raiva, despeito. Perguntou, brutalmente: "Então que apito toco eu nisso tudo?".

— Não faz perguntas. Deixa pra lá. Eu estou aqui, contigo, não estou? O resto não interessa.

Serafim, porém, ressentido, bufava: "Essa história está mal contada! Muito mal contada". No momento da despedida, como ele se mantivesse de cara amarrada, a pequena deu-lhe um tapinha na face:

— Também gosto de ti, bobinho! Também gosto de ti!...

CIÚMES

E a partir dessa tarde, sempre que a via, cada vez mais bonita, pensava no outro. Enfurecia-se, então. Com alegre e frívola surpresa, a própria Jandira caracterizou as novas reações do Serafim: "Estás com ciúmes, é?". Divertia-se cruelmente com o rapaz: "Mas não eras tão amigo dele? Não tinhas tanto chiquê?".

Ele, confuso, não sabia o que responder. Mas, pouco a pouco, deixou-se tomar de irritação e, por fim, de ódio contra o Paiva. Já dizia: "Aquela besta do teu marido!". Outras vezes, trincava as palavras: "Tenho vontade de te bater, só de lembrar que tu estás à disposição desse cara!". E, não raro, ocorria-lhe a curiosidade envenenada: "Ele te beija muito? Te beijou ontem? Te vê nua?". Sua compensação, seu melancólico desagravo, era dizer, com um riso pesado: "Se ele soubesse que tu estás aqui, comigo, hein?". Jandira ria, também: "Saber como?". E criava a hipótese estapafúrdia: "Só se tu fores contar!". Até então, porém, tinham se limitado àqueles passeios de namorados, através das ruas mais quietas das Laranjeiras, Tijuca e Santa Teresa. Mas agora que passara a ter raiva do marido nenhum escrúpulo o travava. Uma tarde, apertou o braço de Jandira e soprou: "Tenho um lugar, assim assim, discretíssimo. Vais lá?". Em pé, na calçada, ela teve um longo frêmito; declarou:

— Até que enfim! Como demoraste, puxa!...

No dia, às quatro horas da tarde, ela chegava no lugar combinado com um vestido novo e colante, que mandara fazer expressamente para o pecado. Antes de se deixar beijar, disse:

— Eu não fiz isso com ninguém, nunca!

E, como se não bastasse a força das próprias palavras, acrescentou: "Quero ver minha filha morta, se estou mentindo!". Em seguida, começaram os beijos. Não satisfeita, ela pedia: "Morde!". Uma hora e quarenta minutos depois, estava ela diante do espelho, refazendo a pintura dos lábios. Então, Serafim, que a contemplava numa espécie de febre, aproximou-se: "Diz o seguinte: se gostas do teu marido, por que fizeste isso? Por quê?". Acabara a maquilagem; levantou-se. Face a face com Serafim, respondeu, fixando nele os olhos verdes e frios: "O único homem que tinha me beijado, o único homem que eu, enfim, conhecia era meu marido". Pausa e continuou: "Eu quis fazer uma experiência...". Concluiu dizendo a palavra justa: "Questão de curiosidade...". Serafim recuou lívido, esbravejou: "Quer dizer que eu sou a experiência? Eu sou a cobaia?". Em desespero pôs-se a vociferar contra o marido: "Aquela besta! Aquele cretino!". Rápida, ela cortou: "Não fale assim do meu marido! Eu não admito!". E ele:

— Falo, sim! Idiota, palhaço!

Na sua fúria terrível, segurou-a pelos dois braços:

— Agora vais me dizer, ouviste?, qual foi o resultado da experiência. Diz!

Respondeu, tranqüila, sem medo: "O pior possível. Você não chega aos pés do meu marido. Foi a primeira e última vez. Daqui em diante, nem você, nem nenhum outro idiota, põe a mão em cima de mim... Só meu marido...".

Saiu de lá, sem olhá-lo, deixando no quarto, por muito tempo, o seu perfume bom, a desiludida do pecado.

Nos dias seguintes, perseguiu-a, como um alucinado, pelo telefone. Ela respondia: "Não quero mais conversa contigo". E desligava. Deu para esperá-la na esquina. O marido acabou sabendo. Na primeira oportunidade, quebrou-lhe a cara.

O JUSTO

Tinha, na ocasião, quinze anos. E era uma moreninha e tanto, linda de rosto, jeitosíssima de corpo. Mais bonita que as filhas do patrão, merecia as mesmas regalias. O dono da casa, que era solene até para beber água, costumava dizer soturnamente:

— É como se fosse da família. Tal e qual.

Uma tarde, Isaurinha parou no meio da escada. Teve uma espécie de vertigem e quase, quase, rola lá de cima. Duma impressionante palidez, molhada em suor, foi carregada. Pouco depois, estava lá o médico da família, velhinho, bom e inoperante. Tomou pressão; espiou a garganta; auscultou em cima de uma toalha fina. Depois do que, fez uma pausa; teve um muxoxo: "Caso sério!". Em seguida, pediu aos presentes que se retirassem e fechou a porta à chave. Passou, lá dentro, contados a relógio, uns quarenta e cinco minutos patéticos. Do lado de fora, no corredor, a família aguardava em pânico, já pensando em câncer, tuberculose, o diabo. Por fim, o velhinho apareceu e convocou a dona da casa, d. Dinorá. Limpando as lentes dos óculos com o lenço, começou com a pergunta:

— Essa pequena tem namorado?

— Não, por quê?

Primeiro, colocou os óculos, depois, deu a notícia:

— Sem a menor sombra de dúvida, Isaurinha está nesse estado, assim assim. Vai ter neném.

Quase d. Dinorá cai para trás, dura.

CALAMIDADE

A velha, que não dava um pio sem prévia consulta ao marido, atracou-se, soluçando, ao telefone. Dizia: "Venha! Já! Correndo!''. E ele veio, de táxi, num tempo recorde. Era a grande ou, por outra, a única autoridade naquela casa. Mandava e desmandava na mulher, nas filhas solteiras e casadas, nos filhos homens, nos genros. Sua palavra era a lei inapelável e definitiva. Entre parêntesis, observe-se que esta autoridade se exercia na base de uma virtude inumana. Seu Clementino, com efeito, não bebia, não fumava, não jogava; era sóbrio e contido até nos prazeres da mesa. Comia pouco, comia apenas para não morrer de fome. No dia de suas bodas de prata, surpreendeu os convidados ao dizer, com sua voz densa:

— Só conheço uma mulher: a minha! E nunca a traí!

Veio seu Clementino para casa. Ciente da catástrofe, promoveu uma mesa-redonda de filhas, filhos, noras e genros. Só não compareceu Isaurinha. No quarto, ao lado de um balde, sofria as ânsias de um enjôo inenarrável, típico do estado. E, na sala, o velho iracundo abria a reunião com um murro na mesa:

— Esse negócio põe, sob suspeição, todos os homens da casa! Absolutamente todos!

E especificou, com o lábio trêmulo:

— Portanto, quero explicações de cada genro e de cada filho!

OS SUSPEITOS

Ninguém disse nada. E os suspeitos eram muitos. Moravam ali, naquela casa imensa, três genros e três filhos, com as respectivas mulheres. Havia ainda um filho homem e solteiro, o Juca, então com dezoito anos. Era o caçula e, como tal, tratado na palma da mão por todo mundo e até, com relativa benignidade, pelo pai. Andando de um lado para outro, na sala imensa, seu Clementino tinha, no lábio, a espuma de justa cólera. E, súbito, estaca e abre os braços para o céu. Encheu a sala com sua voz de barítono:

— Deus me perdoe! Mas eu tive e tenho na vida uma vaidade: de ser justo! — Pausa, encara os genros e filhos atônitos e completa: — E hei de ser justo contra meus filhos, contra meus genros e, até, contra minha mãe. Se Deus quiser!

Passeando os olhos pelos suspeitos, lança a interpelação indiscriminada: ''Quero saber qual foi o cachorro que fez isso! Quero saber qual foi o canalha que abusou de uma menina que

195

devia ser sagrada. Quem foi? Quem?''. Nenhuma resposta. Páli-
dos e acovardados os homens, as mulheres começaram a chorar. D. Dinorá aventurou a hipótese desesperada:

— Quem sabe se não foi algum de fora?

O velho deu um salto imenso:

— De fora como? Não, senhora! Em absoluto! Nunca! —
E foi lógico, apesar da exaltação. — Essas coisas exigem tempo, convivência, confiança e liberdade. Isaurinha nunca saiu sozinha, sempre com vocês. Não! O canalha está aqui! É um de
vocês! É um genro ou um filho! Mas, seja quem for, pagará por
isso. Falem!

Ninguém abria a boca, embora seu Clementino os instigas-
se, indiscriminadamente: ''Covardes! Palhações!''. Por fim, arquejante, anunciou: ''Já que vocês não confessam, já que vocês não têm coragem de confessar, vou usar um meio infalível!''.
Num riso terrível, anunciou:

— A própria vítima de um de vocês vai apontar o culpado!

ISAURINHA

Abandonou a sala. Ninguém se mexeu. Enquanto o velho
não reaparecia, houve cochichos entre maridos e mulheres. Estas perguntavam, em lágrimas: ''Foi você? Jura!''. Os pobres-
diabos juravam: ''Palavra de honra''. O velho demorou com a
filha adotiva, trancado, uma meia hora. Apareceu, bufando, com
Isaurinha pelo braço. Sacudiu-a:

— Fala, anda! Quem foi? Diz!

Caiu de joelhos aos pés do seu Clementino. Cobrindo o rosto com as duas mãos, soluçava. E só dizia:

— Não posso! Não posso!...

Levantou a menina. Com a sua voz potente, exigiu: ''Conta! Ou te arrebento, agora mesmo!''. D. Dinorá quis intervir, mas
o marido a repeliu: ''Vá pro diabo que te carregue!''. A santa
senhora arriou de novo na cadeira, com palpitações, faltas de
ar. Esvaindo em suor seu Clementino perguntava: ''Solteiro? Casado? Fala!''. Soluçou:

— Solteiro.

O velho arregalou os olhos. ''Ah, solteiro, é?'' Largou a menina. E veio, com um meio riso cruel, fazendo toda a volta da
mesa. Parou diante do filho Juca, o caçula. Baixou a voz: ''És

o único solteiro, o único!". E, súbito, com um uivo triunfal agarrou o filho, pela gola, com as duas mãos. Suspendeu-o: "Foste tu, hein? Canalha!". O caçula pôs-se a chorar:

— Não fui eu! Juro! Não fui eu!...

Uma bofetada o derrubou. Durante vinte minutos, meia hora, atormentou-o com insultos e pescoções, numa obstinação tremenda: "Confessa! Confessa!". Todos, ali, fascinados pela cena, não intervinham. Quase à meia-noite, fora de si, os lábios sangrando, o rapaz explodiu:

— Fui eu, sim! Fui eu! — E repetia, histericamente: — Eu! Eu!

O velho largou o filho menor. Cansado e triunfante, veio de novo ocupar a cabeceira. Ofegava:

— Felizmente esse cachorro é solteiro. Pode reparar o mal casando-se. Desgraçado!...

O JUSTO

A partir do dia seguinte, o próprio seu Clementino incumbiu-se das providências matrimoniais. Andava com o filho de cima para baixo. Interrogado se seria casamento de véu e grinalda, esbravejou:

— Claríssimo! De véu e grinalda, sim! Ou estão pensando que casamento é algum mafuá? Aperta-se, amarra-se e ninguém nota!

Perante a família, era óbvio que ele conseguira seu êxito máximo. Sentindo-se alvo da admiração, do medo e do respeito unânimes, assumia, em casa, no ônibus, no escritório, um ar de estátua no próprio monumento. Quanto ao Juca, estava num desses desmoronamentos integrais, de meter dó. Não abria a boca num silêncio obtuso e selvagem. Todas as noites, o pai, severo, impunha que ele e Isaurinha "noivassem" na sala de visitas, lado a lado. Havia, porém, entre os dois, um mutismo apavorante. Nada existia de comum entre eles, nenhuma frase, nenhuma palavra, sorriso ou olhar. E, assim, graças às providências urgentes, os papéis ficaram prontos, num tempo inédito. Na véspera do casamento, cruzam o noivo e a noiva, acidentalmente, no corredor. Isaurinha barra a passagem de Juca e lança o apelo: "Perdoa! Perdoa!". Ele não fez um gesto, nem disse nada. Passou adiante, trancando os lábios.

Casaram-se. Quase à meia-noite, despedia-se o último convidado. Recolheu-se a família e os noivos entraram no quarto dos fundos, que lhes fora destinado. Juca torceu a chave, enquanto Isaurinha, ainda de noiva, tirava a grinalda diante do espelho. E, então, o rapaz aproximou-se. Perguntou: "Quem foi? Quem foi?". Ela se virou, assombrada. Ele continuou: "Cínica! Cínica!". A pequena estava agora de pé. Juca, rápido, a segurou pelos dois braços, com inesperada violência: "Se tu não me disseres, eu te mato!". Disse, repetiu a pior das palavras, com envenenada euforia. Torturou-a toda a noite; ela resistia, soluçando: "Não posso dizer! Não posso dizer!". E ele, atirando a seus pés todas as hipóteses.

— Que cunhado foi ou que irmão? Fala!

Quando já desaparecia do céu a última estrela, ela, com o pobre vestido de noiva roto, amassado e sujo, gritou: "Foi ele!". Não entendeu: "Quem? Ele quem?". Isaurinha caiu aos seus pés, abraçou-se às suas pernas:

— Teu pai! Foi teu pai!

Balbuciou, fora de si: "Meu pai? Meu pai fez isso? Mas não é possível. Meu pai?". E, súbito, pôs-se a rir, numa dessas gargalhadas que o fez torcer-se, dobrar, perder a respiração.

CASTIGO

De manhã, ele esperou que o pai saísse do quarto em direção ao banheiro: "Quero falar contigo já! Vamos!". Encerraram-se no gabinete. O pai, subitamente envelhecido, esperava. E o filho: "Sei de tudo. E vou contar, tudo, a tua mulher, a teus filhos, a teus genros e a teus vizinhos". Agarrou-se ao filho, suplicou ignobilmente: "A um morto se perdoa! A um morto se perdoa!".

A princípio, o filho não compreendeu, ou só compreendeu quando a arma apareceu na mão do velho. Seu Clementino encostou o cano na fronte e apertou o gatilho. Foi um estampido tremendo que assombrou a casa, a vizinhança, a rua inteira. Morreu antes que chegasse a assistência. Muito mais tarde, no velório, o filho Juca chorava mais forte que os outros e mais que a própria viúva. Mas, na hora em que o enterro saiu, ele, da janela, berrava:

— Vai, canalha! Vai!

O MACACO

O pai esfregou as mãos, numa satisfação profunda:

— Como é, minha filha, como é? É amanhã o grande dia?

Beata suspirou, transfigurada:

— Parece, papai.

Dr. Laerte tomou, entre as suas, as mãos pequeninas da filha:

— Muito feliz?

A pequena tem um novo suspiro:

— Demais, papai. Feliz demais! — Pausa e acrescenta, já com lágrimas nos olhos: — Nunca pensei que se pudesse ser tão feliz!

Emocionado também, o velho balbucia:

— Deus te abençoe, meu anjo. Deus te faça a mais feliz das mulheres.

Beata baixa a cabeça, num arrepio:

— Amém.

Beata tinha dezessete anos e nascera, como se diz, num berço de ouro. Pertencia a uma família esplêndida. Basta dizer o seguinte: entre os seus antepassados, havia barões, baronesas e um ministro do Império. Além dos privilégios de educação, de fortuna e nascimento, possuía uma série de dons naturais, que a tornavam uma criatura de exceção. Namorava Lisandro há dois anos. E não se podia desejar um casal mais perfeito. Pode-se dizer que, entre os dois, só existiam afinidades, seja de dinheiro, seja de posição, seja de virtudes pessoais. Pois Lisandro também era rico (ou de família rica), fisicamente bonito e moralmente bem formado. Sentia-se nele o destino do diplomata. Lisandro tinha ainda uma virtude, que não parece mas influi muito: era o primeiro, o primeiríssimo amor de Beata. Ela sublinhava: "Primeiro e último". Vinte e quatro horas antes do casamento, o pai a interroga pela manhã. Beata diz o que já sabemos, concluindo, com involuntária tristeza:

— Papai, quem sabe se tanta felicidade não é pecado?

A AMIGA

Há cinco dias que, nos preparativos do casamento, Beata andava numa roda-viva. Dormia alta madrugada e acordava cedinho. Já a mãe, as irmãs, as vizinhas ponderavam: "Assim você não agüenta". A própria Beata confessava às amigas que lhe telefonavam:

— Estou dormindo em pé. Ah, que prego!

Na véspera do casamento, depois do almoço, uma amiga, Geni, passa de automóvel pela sua casa. Entra por um momento, avisando: "Visita de médico, ouviu?". Conversa daqui, dali e, de repente, vira-se para Beata: "Sabe onde é que eu vou agora? Imagina: ao jardim zoológico". Beata acha graça, mas já a outra, muito animada, explica:

— Vou ver o novo gorila. Dizem que é um espetáculo. Parece homem, percebeste? Queres ir comigo? Eu te levo e, depois, te deixo aqui, de automóvel. Topas?

Beata boceja: "Tenho muito que fazer!". Mas a mãe, que escutara o convite, anima: "Vai, minha filha, vai! Você já trabalhou demais!". As irmãs secundaram: "É uma distração!". Acabou aceitando. Mas, antes de sair, recomenda:

— Faz um favor. Se Lisandro telefonar, avisa que eu não demoro. Volto já!

O GORILA

No automóvel, Beata pergunta: "Que idéia foi essa de ver macaco?". Geni ria, no volante:

— Dizem que esse é uma coisa tremenda. O King Kong escrito!

Meia hora depois, estão boquiabertas diante da jaula do gorila que acabara de chegar não sei de onde. Era, de fato, algo gigantesco e inenarrável. Beata imobilizou-se, como que magnetizada. Geni, crispada, balbuciou: "Que coisa!". Todas as suas impressões eram, de uma maneira geral, frívolas, efêmeras. Desta vez, porém, parecia experimentar um sentimento de terror profundo. Quis arrastar Beata: "Vamos embora. É feio demais! Horrível!". Beata continuava no mesmo lugar, assombrada. E, súbito, Geni tem um riso que é o disfarce histérico de sua angústia:

— Está te olhando! Gostou de ti!

Beata trinca os dentes:

— Isola!

A VOLTA

Quando apanharam o automóvel para voltar, Beata tem um lamento: "Eu não devia ter vindo! Fiz mal!". Geni já estava recuperada; ria-se agora da própria reação. Nada perdurava na sua alma muito leve e muito frívola. Guiando o automóvel com maestria e imprudência, brincou com a amiga:

— Ele não tirava os olhos de ti. E queres saber de uma coisa? Há macacos que se apaixonam por mulheres! E mulheres que se apaixonam por macacos.

Numa espécie de febre, Beata pediu:

— Não brinca assim, por amor de Deus!

Quando entrou em casa, a irmã caçula perguntou:

— Que tal o macaco?

Respondeu, com rancor:

— Horrendo, puxa! Olha só como eu estou arrepiada! Mostrou o braço. Na verdade, tinha febre.

LOUCURA

De noite, antes do noivo chegar, voltou-se para o dr. Laerte: "Quer vir um instantinho aqui, papai?". Trancou-se com o velho no gabinete. Acende um cigarro, de fumo macio, aromático. E fez a pergunta súbita: "Papai, eu conto com o senhor, papai, não conto?". Admirou-se:

— Claro!

Pousou o cigarro no cinzeiro. Ergue o rosto e fecha os olhos e anuncia, sóbria: "Papai, eu não quero mais casar!". O velho estava sentado. Levantou-se em câmera lenta. Atônito, repetia: "Não quer casar?".

E ela: "Não, papai, não quero casar!". Dr. Laerte põe as mãos na cabeça:

— Mas que piada é essa? Não quer casar por quê? Deve haver um motivo. Qual?

Vacila:

— Bem, papai. Não há motivo, ouviu? Simplesmente, não quero e pronto.

O velho tratou de dominar a situação. A perspectiva do escândalo aterrou-o. Faz a filha sentar-se; submeteu-a a um interrogatório: "Minha filha, ninguém toma decisão dessa natureza sem uma razão muito forte...". Durante uns quarenta minutos ela resistiu à pressão paterna. Por fim, exausta, admite:

— Eu gosto de outro, compreendeu? Gosto de outro. Esse é o motivo!

O OUTRO

Dr. Laerte sofria do coração. Experimentou um tal abalo com a atitude da filha que calculou: "É agora que eu vou ter um colapso". Todavia, como punha aquela menina acima de tudo e de todos, fez das tripas coração e disse: "Você é quem sabe se deve ou não deve casar. Não quer? Muito bem. Não casa, pronto. E pode contar comigo". Foi um pânico, no resto da família, quando se soube que Beata não queria casar. A mãe ficou logo com palpitações, falta de ar. Uma solteirona, tia da menina, a interpelou: "Você endoideceu?". Dr. Laerte teve que ralhar, zangado:

— Vê se não dá palpites, carambolas! E trata de distribuir os doces com a vizinhança.

Quem ficou alucinado foi o noivo. Perguntou ao ex-quase futuro sogro: "O senhor acha isso direito?".

O velho perdeu a paciência:

— Acho, sim. Perfeitamente. Acho. A única coisa que eu acho direito é a felicidade de minha filha.

Como o rapaz insistisse, cassou-lhe a palavra: "Passe bem".

IMPOSSÍVEL AMOR

Numa incompreensão obtusa e dolorosa, as pessoas daquela família se entreolhavam apavoradas. O pai, amargurado, mas sereno, fechou-se novamente com a filha: "Você diz que gosta de outro. Mas quem é o rapaz, minha filha? Ele gosta de ti?". Beata teve uma explosão:

— É inútil, papai. Eu não direi. Basta que o senhor saiba o seguinte: eu não poderia me casar com ele, nunca! Nunca!

202

Até alta noite, dr. Laerte tratou de arrancar da filha a identidade do outro: "Ele tem um nome. Ao menos, o nome. Diz o nome!". Encarou o pai, numa espécie de desafio: "Nunca!". Dr. Laerte deixa Beata e vai dizer à esposa: "Deve ser um homem casado".

O FIM

No dia seguinte, ou seja, o dia que devia ser do casamento, Beata caiu de cama. E, desde o primeiro momento, disse aos pais, às irmãs, com tranqüila e apavorada certeza: "Eu vou morrer". Estiolou-se dia a dia, hora a hora, sem que médico nenhum pudesse explicar ou, sequer, dar um nome ao mal súbito e misterioso que a matava. Em vão perguntavam: "Quem é este homem?". Ela trancava os lábios e não dizia. Só uma vez, atormentada de febre, balbuciou uma resposta delirante, que ninguém entendeu: "Não é um homem...". Morreu dois meses depois. As pessoas que a vestiam para o caixão encontraram, entre os seios da morta, o retrato de um gorila monstruoso recortado de um jornal. Ninguém deu a menor importância à fotografia.

EXCESSO DE TRABALHO

Era um pai muito escrupuloso. Sabendo que a filha estava com um romance, não perdeu tempo: — tratou de saber, direitinho, quem era o namorado. Durante quatro ou cinco dias, andou de baixo para cima, de cima para baixo, fazendo sindicâncias. Aconteceu, sistematicamente, o seguinte: — as pessoas interrogadas sobre os predicados do rapaz diziam sempre a mesma coisa:

— Muito trabalhador!

No fim de certo tempo, o velho estava crente de que nada caracterizava tanto o futuro genro como a sua fenomenal capacidade de trabalho. Deu-se enfim por satisfeito. Chamou a esposa e a filha. Andando de um lado para outro, ia dizendo:

— Bem. Andei tomando informações.

Fez uma pausa proposital. A filha, expectante, prendeu a respiração. Veio a pergunta:

— Que tal?

Seu Juventino estaca:

— Parece que é um bom rapaz, trabalhador e outros bichos.

Laurinha, que estava sentada, ergue-se, de olho aceso:

— O senhor então consente, papai?

Respirou fundo:

— Consinto.

O TRABALHADOR

Seu Juventino sempre tivera particular e feroz ojeriza pelos ociosos e pela ociosidade. A perspectiva de um genro laborioso o deslumbrou: "Esse é dos meus", disse, esfregando as mãos, numa satisfação profunda. Laurinha, radiante, foi correndo dizer ao namorado: — "Papai é teu fã! Teu admirador!". Raimundo, grave, pigarreia:

— Antes assim! Antes assim!

O namoro durou um ano e meio, pouco mais ou menos. Durante esse espaço de tempo, Raimundo vinha ver a namorada três vezes por semana. Chegava depois do jantar, passava meia hora com a pequena e partia, célere, afobado, para outro emprego. Trabalhava em três lugares diferentes e andava procurando uma quarta atividade. Dormia, todos os dias, às três horas da manhã e levantava-se às seis. Tanto trabalho teria que devastá-lo. E, de fato, o rapaz tinha um sono medonho, incoercível. Dormia no bonde, no ônibus, no lotação, sentado ou em pé. E, sobretudo, dormia ao lado da namorada. Parecia um cansado nato e hereditário. Impressionada por tamanha fadiga, Laurinha levanta certa vez a hipótese:

— Você não está trabalhando demais, hein, meu filho?

Era óbvio que sim. Raimundo, na ocasião, cochilava espetacularmente, recostado ao ombro de Laurinha. Despertou, porém, quase indignado:

— Minha filha, parte do seguinte princípio: — não existe o excesso de trabalho, percebeste? Nunca se trabalha demais!

HERÓI

Toda a família, com seu Juventino à frente, aplaudia esse dinamismo pavoroso de Raimundo. E Laurinha também, é claro. O máximo que a garota podia alegar é que, ao peso de tantos empregos e de tanto serviço, não sobrassem ao rapaz nem tempo, nem ânimo para o namoro. Ele passava semanas, meses, sem um carinho, um beijo, um galanteio. Laurinha, porém, tinha bastante discernimento para aceitar e compreender. De resto, o pai, a mãe, todo mundo vinha sugestioná-la: — "Tiraste a sorte grande! O Raimundo é um partidão!". E quando, em pleno namoro, vencido pelo cansaço, ele se punha a dormir, o sogro ou a sogra corria a desligar o rádio com a recomendação:

— Não faz barulho, que o Raimundo está dormindo!

O fato era o seguinte: — o cansaço imenso, inenarrável do rapaz passava a ser um orgulho, uma vaidade para a família. Quando os dois ficaram noivos, foi até comovente. Seu Juventino abraçou-se chorando ao futuro genro. E soluçava: — "Meu filho! Meu filho!". Assoa-se e declara, em alto e bom som:

— Eu sei, tenho certeza que um rapaz como você, trabalhador como você, fará a felicidade de minha filha!

Raimundo, com a exaustão de sempre, balbucia:

— Deus é grande! Deus é grande!

Três meses depois, houve o casamento.

ROMÂNTICA

Laurinha era, como ela própria dizia, "muito romântica". Duas coisas a atraíam, no casamento, de uma maneira irresistível: — primeiro, a cerimônia religiosa, com o fabuloso vestido de noiva e toda a pompa nupcial; segundo, o que ela chamava, num arrepio, de "primeira noite". Tinha uma amiga casada, aliás, desenvolta e sabidíssima, que afirmava:

— Todo o futuro do casamento depende da "primeira noite"!

Laurinha, trêmula, perguntava: — "É batata, é?". A amiga suspirava: — "Espera e verás!". Com o espírito trabalhado pela sugestão da conhecida, Laurinha sonhava, de olhos abertos: — "Se eu tiver que morrer, que seja depois da 'primeira noite'. Antes, não".

Pois bem. Casou-se e, depois da cerimônia religiosa, em grande estilo, com música, luminárias, partiu com o noivo para o apartamento do Grajaú, onde passariam a residir. Chegam, entram. Diga-se, a título ilustrativo, que, no carro iluminado, Raimundo chegara a cochilar. Laurinha, aflita, de véu, grinalda, o sacudira: — "Que coisa feia, meu filho! Acorda!". Enfim, estão no apartamento. E chegou o momento em que Laurinha entreabre a porta do quarto e avisa:

— Pode vir, meu bem.

Em seguida, ela se coloca em pé, no meio do quarto. Veste a camisola do dia, transparente, um decote ideal. Nunca se sentira tão nua. Seus pés calçam chinelinhas brancas. Na sua imaginação de noiva, antevê o deslumbramento do ser amado. Mas os minutos se escoam e nada. Para si mesma faz o espanto: — "Ué!". Até que vem espiar na porta. Eis o que vê: — o noivo, sentado numa poltrona, a cabeça pendida, dorme de uma maneira profunda, irremediável. No maior espanto de sua vida, e sem se lembrar de cobrir-se com um quimono, aproxima-se. Sacode-o: — "Dormindo, meu filho?". O pobre-diabo levanta-se, em sobressalto. Vê, identifica a noiva, coça a cabeça: — "És tu?". Diante dela, tem um desses bocejos medonhos. Laurinha, atônita, não sabe o que dizer, o que pensar. Raimundo a enlaça:

— Vamos, meu anjo?

PRIMEIRA NOITE

Estão dentro do quarto. A fadiga acumulada do homem que trabalha muito, trabalha demais, dá um ritmo lerdo a tudo o que ele diz, pensa ou faz. Não obstante, Laurinha comove-se outra vez. Oferece a boca fresca e linda:

— Beija, me beija!

Ainda não foi desta vez. Pois o noivo bate na testa:

— Cadê o despertador?

E ela:

— Pra quê?

Raimundo, aflito, anda de um lado para outro, procurando: — "Onde está a droga do despertador?". Só falta olhar debaixo da cama. Laurinha insiste: — "Mas pra que o despertador?". Ele pára no meio do quarto, irritado:

— Tenho que acordar cedo, carambolas! Tenho que trabalhar!

Laurinha recua:

— Você vai trabalhar amanhã? Vai? Amanhã?

Explode:

— Claro! Vou, sim! Tenho um serviço urgentíssimo. Marquei com o chefe às sete da manhã!

A pequena senta-se numa das extremidades da cama. Custa a acreditar: — "Não é possível!". Ele, porém, acaba de descobrir o despertador detrás de uma jarrinha de flores. Exulta, aperta o relógio de encontro ao peito; e vira-se, eufórico, para a mulher: — "Agora eu posso dormir tranqüilo!". Coloca o despertador em cima da mesinha-de-cabeceira. Laurinha, de braços cruzados, sem uma palavra, acompanha os movimentos do marido. Ele se põe de cócoras diante do camiseiro, apanha o pijama e vai mudar de roupa no banheiro. Volta, de pijama e descalço, bocejando que Deus te livre. Diante da mulher, coçando o peito, propõe:

— Queres me fazer um favor? De mãe pra filho? É o seguinte: — eu estou num prego danado. Vamos fazer o seguinte: — tu me deixas dormir uma meia hora e, depois, me acordas. OK?

— OK.

ALUCINAÇÃO

Foi até interessante. Uma vez obtida a autorização, ele desaba na cama, como que fulminado pelo sono. Laurinha contempla aquele homem com certo espanto e asco. Levanta-se; marca o despertador de seis para doze. Em seguida apaga a luz e vem para a janela, espiar a rua e a noite. Assim permaneceu, em dilacerada vigília. Pensa: — "Foi-se por água abaixo a minha primeira noite!". Três ou quatro horas depois, continuava na janela. Súbito, ouve um rumor embaixo: — era o leiteiro que, naquela manhã, começava o fornecimento dos novos fregueses. Então, dá nela uma fúria súbita, uma cólera obtusa e potente. Sem rumor, deixa o quarto e desce, pela escada, os dois andares do apartamento. Leva o quimono em cima da camisola diáfana. Abre a porta da rua e sai para o jardim; alcança o leiteiro, quando este partia, empurrando a carrocinha. Ele vira-se, assombrado. Laurinha se põe na ponta dos pés e o beija na boca, com loucura.

A ESPOSA HUMILHADA

O chefe apareceu na porta:

Seu Fortuna! Onde é que está seu Fortuna?

José Penteado Fortuna atirou-se do fundo do escritório, esbaforido.

— Pronto, doutor Benevides, pronto!

E o outro, feroz:

— Entra aqui!

O subalterno, lívido, obedece. Então, dr. Benevides põe as duas mãos nos quadris e vocifera:

— Seu Fortuna, o senhor está pensando que isso aqui é a casa da mãe Joana? Está?

— Eu?! Mas por que, doutor Benevides?

Rápido, o chefe apanha em cima da mesa o livro de ponto. Esfrega-o quase na cara do funcionário. Uiva: "O senhor chegou, hoje, atrasado outra vez!". Fortuna engole em seco:

— Atraso de condução, doutor Benevides! O ônibus enguiçou, no meio do caminho! — E repetia, sem mais argumentos: — Enguiçou!

O patrão dá um murro na mesa: "Basta! E não me responda, seu Fortuna! Não me falte com o respeito!". O infeliz, que sempre se caracterizara por uma subserviência e uma passividade inexcedíveis, emudeceu. Dr. Benevides deu a última palavra:

— Fique sabendo do seguinte: se o senhor continuar desse jeito, abusando da minha paciência, eu o despeço, sumariamente. — Arqueja e conclui: — Pode ir, seu Fortuna!

Fortuna deixou o gabinete do chefe, desgovernado, cambaleante. Tropeçou em vários colegas, esbarrou-se na sua mesa, que era no fundo do escritório, e só não chorou de vergonha. Não era a primeira vez, nem seria a última que dr. Benevides o destratava dessa maneira bestial, na frente de todo mundo do escritório. O patético do episódio estava na falta de proporção entre causa e efeito. Por que a torva e treda humilhação? Porque ele, Fortuna, chegara dez minutos atrasado. O que são dez minutos? Nada. Acresce que a justificativa do enguiço era autêntica. O ônibus enguiçara, na altura de Machado Coelho. E coisa curiosa: dr. Benevides tratava os demais funcionários com relativa urbanidade. Com o Fortuna, porém, era uma fera, fazendo verdadeiros cavalos de batalha por coisas mínimas, bobagens à-toa. Desesperado, ele apanha uns papéis. Nisto, aparece um contínuo de uniforme:

— Estão chamando o senhor na portaria.

Larga tudo e vai atender. Era sua esposa, Marion, num costume cinza que comprara recentemente num crediário. Beija-a na testa e, numa angústia ainda maior, leva-a para um canto. Perto do bebedouro, ele resume o incidente atroz: "Não te disse que esse cretino estava de marcação comigo?". Marion, solidária, trinca a ofensa nos dentes:

— Cachorro!

E o marido, na sua fúria de pusilânime: "Eu, se fosse homem, se tivesse um pingo de vergonha, metia-lhe a mão na cara!". Teria continuado no seu desabafo se, de repente, a mulher não o cutucasse. Fortuna se vira e logo disfarça: dr. Benevides, que ia saindo, lembra-se de usar o bebedouro. Aproxima-se. Diante do casal, estaca, esquecido já da própria sede. Pergunta, com alegre surpresa: "É sua senhora?". Fortuna, alvar, diz que sim. Dr. Benevides inclina-se, beija a mão de Marion:

— Muito prazer, minha senhora. Disponha. Com licença.

CASO SÉRIO

O espanto de Marion foi profundíssimo. Durante meses, a ocupação predileta do Fortuna, em casa, fora dizer horrores do chefe. De tanto ouvir o marido, Marion, que não conhecia o homem, imaginava-o da maneira mais horrenda. Acreditava que o dr. Benevides fosse uma espécie de búfalo, de javali, sei lá. Súbito, vê o patrão do marido. E cai das nuvens. O fulano tem uma aparência cordial, normalíssima. E mais: dá-se ao requinte de beijar a mão das damas. De noite, quando o marido chegou, ainda humilhado, ainda ofendido, ela teve uma sinceridade imprudente:

— Sabe que eu achei o teu chefe uma simpatia?

Fortuna, que tirara o paletó e arregaçava as mangas, quase a comeu viva.

— Deixa de ser palpiteira! Mania de dar palpites! E fica sabendo de uma coisa: eu tenho que arranjar imediatamente outro emprego! Senão acabo dando um tiro nesse palhaço!

Marion deixa passar. Na hora de dormir, depois de ter enfiado a camisola, a pequena resolve sondar o marido: "Posso te dar um palpite?". Fortuna está com as calças do pijama arregaçadas até o joelho, pesquisando pulgas nos cabelos da perna. Rosna: "Dá!". E ela:

— Queres que eu vá falar com teu chefe?

Fortuna vira-se, e tão espantado que deixa escapar uma pulga laboriosamente caçada. Faz uma série de perguntas, à queima-roupa: "Pra quê? A troco de quê? E que piada é esta?". Ela tenta explicar: "Afinal de contas, ele precisa saber que você é um chefe de família...". O marido ri, amargo. Coçando as pernas magras, tem um humor sinistro:

— Olha aqui, velhinha: tu pensas que a besta do doutor Benevides liga pra esse negócio de família, de miséria e outros bichos? Conversa! Um velho descarado que só pensa em brotinhos, que não pode ver uma menina de dezessete anos! Fica bonitinha, sim?

ASSINATURA

Na tarde seguinte, Fortuna volta para casa fora de si. Nas últimas vinte e quatro horas, piorara a situação no emprego. Nunca a assinatura do dr. Benevides fora tão cruel e deslavada. Em casa, diante da mulher, chorou pela primeira vez. Então Marion, que percebia toda a imensa fragilidade do marido, retoma a idéia da conversa da véspera: "Eu falo com o doutor Benevides! Não custa tentar, custa?". Tanto insiste que, afinal, ele perde a paciência, explode:

— Não adianta, ouviu? Ainda se você fosse uma "boa" espetacular, uma grande mulher, vá lá! Aquela besta só atende mulher bonita. Fora disso, não interessa!

Estava tão exasperado que não percebeu a angústia da esposa. Marion, que estava sentada, ergue-se, atônita. Pergunta: "Quer dizer que você me considera um bucho?". Ele veio apanhar o cigarro no bolso do paletó. Sem tato, sem paciência, esbraveja ainda:

— Não faz drama. E vamos e venhamos, você não é nenhum brotinho, carambolas!

Pausa. Ela foi apanhar uma costura em cima de um móvel. Suspira: "Talvez você esteja enganado a meu respeito. Quem sabe? Você me acha sem graça. Talvez nem todos sejam da mesma opinião".

ESPANTO

Durante uma semana, Marion o perseguiu com indiretas, ironias: "Eu não sabia que era uma velha horrorosa!". E se telefonava para o marido, no emprego, começava assim: "É o bucho!". Havia entre eles uma crise, que se agravaria pouco depois. Um colega de Fortuna, o Penafiel, funcionário relapso e inepto, acabava de ter um astronômico aumento de ordenado. Fortuna apareceu em casa alucinado:

— Penafiel é casado com uma "boa". E já sabe: empurrou a mulher para o doutor Benevides e foi batata!

A prosperidade do outro converteu-se num desgosto atroz e pessoal para o Fortuna. Depois do jantar saiu, foi beber. Voltou para casa depois da meia-noite, num estado de embriaguez total. Na sua obtusidade de bêbado avarento, avança para a esposa:

— Se tu não fosses um bucho, eu hoje tinha um big emprego!

SOLUÇÃO

Mais uma semana e acontecem no emprego duas coisas simultâneas e dramáticas: o Penafiel foi despedido e o Fortuna chamado à presença do chefe. Rilhando os dentes, ele faz seus cálculos: "Bilhete azul". Entra no gabinete do chefe e, dez minutos após, sai de lá transfigurado. No fim do expediente, apanha um táxi e voa para casa:

— Estou com a minha cara no chão, besta! Imagina tu: dobraram o meu ordenado! Sabes que ainda não compreendi? Por quê? Não entendo essa mudança!

Marion está pondo verniz nas unhas. Parece achar graça. Diz sem desfitá-lo:

— Eu não sou tão bucho assim!

Então ele compreendeu, subitamente, tudo.

OS NOIVOS

Quando Salviano começou a namorar Edila, o pai o chamou:

— Senta, meu filho, senta. Vamos bater um papo.

Ele obedeceu:

— Pronto, papai.

O velho levantou-se. Andou de um lado para outro e senta de novo:

— Quero saber, de ti, o seguinte: esse teu namoro é coisa séria? Pra casar?

Vermelho, respondeu:

— Minhas intenções são boas.

O outro esfrega as mãos.

— Ótimo! Edila é uma moça direita, moça de família. E o que eu não quero para minha filha, não desejo para a filha dos outros. Agora, meu filho, vou te dar um conselho.

Salviano espera. Apesar de adulto, de homem-feito, considerava o pai uma espécie de Bíblia. O velho, que estava sentado, ergue-se; põe a mão no ombro do filho:

— O grande golpe de um namorado, sabe qual é? No duro? — E baixa a voz: — É não tocar na pequena, não tomar certas liberdades, percebeu?

Assombro de Salviano: "Mas, como? Liberdades, como?".

E o pai:

— Por exemplo: o beijo! Se você beija sua namorada a torto e a direito, o que é que acontece? Você enjoa, meu filho. Batata: enjoa! E quando chega o casamento, nem a mulher oferece novidades para o homem, nem o homem para a mulher. A lua-de-mel vai-se por água abaixo. Compreende?

Abismado de tanta sabedoria, admitiu:

— Compreendi.

Na tarde seguinte, quando se encontrou com a menina, tratou de resumir a conversa da véspera. Terminou, com um verdadeiro grito de alma:

— Muito bacana, o meu pai! Tu não achas?

Edila, também numa impressão profunda, conveio: "Acho".

— Concordas?

Foi positiva:

— Concordo.

Pouco antes de se despedir, Salviano batia no peito:

— Dizem que ninguém é infalível. Pois eu vou te dizer um negócio: meu pai é infalível, percebeu? Infalível, no duro.

O BEIJO

Nesse dia, coincidiu que a mãe de Edila também a doutrinasse sobre as possibilidades ameaçadoras de qualquer namoro. E insistiu, com muito empenho, sobre um ponto que considerava importantíssimo:

— Cuidado com o beijo na boca! O perigo é o beijo na boca!

A garota, espantada, protestou:

— Ora, mamãe!

E a velha:

— Ora o quê? É isso mesmo! Sem beijo não há nada, está tudo muito bem. OK. E com beijo pode acontecer o diabo. Você é muito menina e talvez não perceba certas coisas. Mas pode ficar certa: tudo que acontece de ruim, entre um homem e uma mulher, começa num beijo!

O IDÍLIO

Foi um namoro tranqüilo, macio, sem impaciências, sem arrebatamentos. Sob a inspiração paterna, ele planificou o romance, de alto a baixo, sem descurar de nenhum detalhe. Antes de mais nada, houve o seguinte acordo:

— Eu não toco em ti até o dia do casamento.

Edila pergunta:

— E nem me beija?

Enfiou as duas mãos nos bolsos:

— Nem te beijo. OK?

Encarou-o, serena:

— OK.

Dir-se-ia que este assentimento o surpreendeu. Insinua:

— Ou será que você vai sentir falta?

— De quê?

E Salviano, lambendo os beiços:

— Digo falta de beijos e, enfim, de carinho.

Sorriu, segura de si:

— Não. Estou cem por cento com teu pai. Acho que teu pai está com a razão.

Salviano não sabe o que dizer. Edila continua, com o seu jeito tranqüilo:

— Sabe que essas coisas não me interessam muito? Eu acho que não sou como as outras. Sou diferente. Vejo minhas amigas dizerem que beijo é isso, aquilo e aquilo outro. Fico boba! E te digo mais: eu tenho, até, uma certa repugnância. Olha como eu estou arrepiada, olha, só de falar nesse assunto!

O VELHO

Desde menino, Salviano se habituara a prestar contas quase diárias ao pai, de suas idéias, sentimentos e atos. O velho, que se chamava Notário, ouvia e dava os conselhos que cada caso comportava. Durante todo o namoro com Edila, seu Notário esteve, sempre, a par das reações do filho e da futura nora. Salviano, ao terminar as confidências, queria saber: "Que tal, papai?". Seu Notário apanhava um cigarro, acendia-o e dava seu parecer, com uma clarividência que intimidava o rapaz:

— Já vi que essa menina tem o temperamento de uma esposa cem por cento. A esposa deve ser, mal comparando, e sob certos aspectos, um paralelepípedo. Essas mulheres que dão muita importância à matéria não devem casar. A esposa, quanto mais fria, mais acomodada, melhor!

Salviano retransmitia, tanto quanto possível, para a namorada, as reflexões paternas. Edila suspirava: "Teu pai é uma simpatia!". De vez em quando, o rapaz queria esquecer as lições que recebia em casa. Com uma salivação intensa, o olhar rutilante, tentava enlaçar a pequena. Edila, porém, era irredutível; imobilizava-o:

216

— Quieto!

Ele recuava:

— Tens razão!

CATÁSTROFE

Um dia, porém, o dr. Borborema, que era médico de Edila e família, vai procurar Salviano no emprego. Conversam no corredor. O velhinho foi sumário: "Sua noiva acaba de sair do meu consultório. Para encurtar conversa: ela vai ser mãe!". Salviano recua, sem entender:

— Mãe?!...

E o outro, balançando a cabeça: "Por que é que vocês não esperaram, carambolas? Custava esperar?". Salviano travou-lhe o braço, rilhava os dentes: "De quantos meses?". Resposta: "Três". Dr. Borborema já se despedia: "O negócio, agora, já sabe: é apressar o casamento. Casar antes que dê na vista". Petrificado, deixou o médico ir. No corredor do emprego, apertava a cabeça entre as mãos: "Não é possível! Não pode ser!". Meia hora depois, desembarcava e invadia, alucinado, a casa do pai. Arremessou-se nos braços de seu Notário, aos soluços.

— Edila está nessas e nessas condições, meu pai! — E, num soluço mais fundo, completa: — E não fui eu! Juro que não fui eu!

MISERICÓRDIA

Foi uma conversa que se alongou por toda uma noite. No seu desespero inicial, ele berrava: "Cínica! Cínica!". E soluçava: "Nunca teve um beijo meu, que sou seu noivo, e vai ter o filho do outro!". O pai, porém, conseguiu, aos poucos, aplacá-lo. Sustentou a tese de que todos nós, afinal de contas, somos falíveis e, particularmente, as mulheres: "Elas são de vidro", afirmava. Alta madrugada, o pobre-diabo pergunta: "E eu? Devo fazer o quê?". Justiça se lhe faça — o velho foi magnífico: "Perdoar. Perdoa, meu filho, perdoa!". Quis protestar: "Ela merece um tiro!". Mais que depressa, seu Notário atalha:

— Ela, não, nunca! Ele, sim! Ele merece!

— Quem?

Baixa a voz: "O pai da criança! Esse filho não caiu do céu, de pára-quedas! Há um culpado". Pausa. Os dois se entreolham. Seu Notário segura o filho pelos dois braços:

— Antes de ti, Edila teve um namorado. Deve ter sido ele. Se fosse comigo, eu matava o cara que...

Ergue-se, transfigurado, quase eufórico: "Tem razão, meu pai! O senhor sempre tem razão!".

O INOCENTE

Pôde, assim, desviar da noiva o seu ódio. De manhã, passou pela casa de Edila. Com apavorante serenidade, em voz baixa, pediu o nome do culpado. Diante dele, a garota torcia e destorcia as mãos: "Não digo! Tudo, menos isso!". Ele sugeria, desesperado: "Foi o Pimenta?". O Pimenta era o antigo namorado de Edila. Ela dizia: "Não sei, não sei!". Salviano saiu dali certo. Procurou o outro, que conhecia de nome e de vista. Antes que o Pimenta pudesse esboçar um gesto, matou-o, com três tiros, à queima-roupa. E fez mais. Vendo um homem, um semelhante, agonizar aos seus pés, com um olhar de espanto intolerável, ele virou a arma contra si mesmo e estourou os miolos. Mais tarde, desembaraçado o corpo, foi instalada a câmara-ardente na casa paterna. Alta madrugada, havia, na sala, três ou quatro pessoas, além da noiva e de seu Notário. Em dado momento, o velho bate no ombro de Edila e a chama para o corredor. E, lá, ele, sem uma palavra, aperta entre as mãos o rosto da pequena e a beija na boca, com loucura, gana. Quando se desprendem, seu Notário, respirando forte, baixa a voz:

— Foi melhor assim. Ninguém desconfia. Ótimo.

Voltaram para a sala e continuaram o velório.

A DAMA DO LOTAÇÃO

Às dez horas da noite, debaixo de chuva, Carlinhos foi bater na casa do pai. O velho, que andava com a pressão baixa, ruim de saúde como o diabo, tomou um susto:

— Você aqui? A essa hora?

E ele, desabando na poltrona, com profundíssimo suspiro:

— Pois é, meu pai, pois é!

— Como vai Solange? — perguntou o dono da casa.

Carlinhos ergueu-se; foi até a janela espiar o jardim pelo vidro. Depois voltou e, sentando-se de novo, larga a bomba:

— Meu pai, desconfio de minha mulher.

Pânico do velho:

— De Solange? Mas você está maluco? Que cretinice é essa?

O filho riu, amargo:

— Antes fosse, meu pai, antes fosse cretinice. Mas o diabo é que andei sabendo de umas coisas... E ela não é a mesma, mudou muito.

Então, o velho, que adorava a nora, que a colocava acima de qualquer dúvida, de qualquer suspeita, teve uma explosão:

— Brigo com você! Rompo! Não te dou nem mais um tostão!

Patético, abrindo os braços aos céus, trovejou:

— Imagine! Duvidar de Solange!

O filho já estava na porta, pronto para sair; disse ainda:

— Se for verdade o que eu desconfio, meu pai, mato minha mulher! Pela luz que me alumia, eu mato, meu pai!

Casados há dois anos, eram felicíssimos. Ambos de ótima família. O pai dele, viúvo e general, em vésperas de aposentadoria, tinha uma dignidade de estátua; na família de Solange havia de tudo: médicos, advogados, banqueiros e, até, ministro de Estado. Dela mesma, se dizia, em toda parte, que era "um amor"; os mais entusiastas e taxativos afirmavam: "É um doce-de-coco". Sugeria nos gestos e mesmo na figura fina e frágil qualquer coisa de extraterreno. O velho e diabético general poderia pôr a mão no fogo pela nora. Qualquer um faria o mesmo. E todavia... Nessa mesma noite, do aguaceiro, coincidiu de ir jantar com o casal um amigo de infância de ambos, o Assunção. Era desses amigos que entram pela cozinha, que invadem os quartos, numa intimidade absoluta. No meio do jantar, acontece uma pequena fatalidade: cai o guardanapo de Carlinhos. Este curva-se para apanhá-lo e, então, vê, debaixo da mesa, apenas isto: os pés de Solange por cima dos de Assunção ou vice-versa. Carlinhos apanhou o guardanapo e continuou a conversa, a três. Mas já não era o mesmo. Fez a exclamação interior: "Ora essa! Que graça!". A angústia se antecipou ao raciocínio. E ele já sofria antes mesmo de criar a suspeita, de formulá-la. O que vira, afinal, parecia pouco. Todavia, essa mistura de pés, de sapatos, o amargurou como um contato asqueroso. Depois que o amigo saiu, correra à casa do pai para o primeiro desabafo. No dia seguinte, pela manhã, o velho foi procurar o filho:

— Conta o que houve, direitinho!

O filho contou. Então o general fez um escândalo:

— Toma jeito! Tenha vergonha! Tamanho homem com essas bobagens!

Foi um verdadeiro sermão. Para libertar o rapaz da obsessão, o militar condescendeu em fazer confidências:

— Meu filho, esse negócio de ciúme é uma calamidade! Basta dizer o seguinte: eu tive ciúmes de tua mãe! Houve um momento em que eu apostava a minha cabeça que ela me traía! Vê se é possível?!

A CERTEZA

Entretanto, a certeza de Carlinhos já não dependia de fatos objetivos. Instalara-se nele. Vira o quê? Talvez muito pouco; ou seja, uma posse recíproca de pés, debaixo da mesa. Ninguém trai com os pés, evidentemente. Mas de qualquer maneira ele estava "certo". Três dias depois, há o encontro acidental com o Assunção, na cidade. O amigo anuncia, alegremente:

— Ontem viajei no lotação com tua mulher.

Mentiu sem motivo:

— Ela me disse.

Em casa, depois do beijo na face, perguntou:

— Tens visto o Assunção?

E ela, passando verniz nas unhas:

— Nunca mais.

— Nem ontem?

— Nem ontem. E por que ontem?

— Nada.

Carlinhos não disse mais uma palavra; lívido, foi no gabinete, apanhou o revólver e o embolsou. Solange mentira! Viu, no fato, um sintoma a mais de infidelidade. A adúltera precisa até mesmo das mentiras desnecessárias. Voltou para a sala; disse à mulher entrando no gabinete:

— Vem cá um instantinho, Solange.

— Vou já, meu filho.

Berrou:

— Agora!

Solange, espantada, atendeu. Assim que ela entrou, Carlinhos fechou a porta, à chave. E mais: pôs o revólver em cima da mesa. Então, cruzando os braços, diante da mulher atônita, disse-lhe horrores. Mas não elevou a voz, nem fez gestos:

— Não adianta negar! Eu sei de tudo!

E ela, encostada à parede, perguntava:

— Sabe de que, criatura? Que negócio é esse? Ora veja!

Gritou-lhe no rosto três vezes a palavra *cínica*! Mentiu que a fizera seguir por um detetive particular; que todos os seus passos eram espionados religiosamente. Até então não nomeara o amante, como se soubesse tudo, menos a identidade do canalha. Só no fim, apanhando o revólver, completou:

— Vou matar esse cachorro do Assunção! Acabar com a raça dele!

A mulher, até então passiva e apenas espantada, atracou-se com o marido, gritando:

— Não, ele não!

Agarrado pela mulher, quis se desprender, num repelão selvagem. Mas ela o imobilizou, com o grito:

— Ele não foi o único! Há outros!

A DAMA DO LOTAÇÃO

Sem excitação, numa calma intensa, foi contando. Um mês depois do casamento, todas as tardes, saía de casa, apanhava o primeiro lotação que passasse. Sentava-se num banco, ao lado de um cavalheiro. Podia ser velho, moço, feio ou bonito; e uma vez — foi até interessante — coincidiu que seu companheiro fosse um mecânico, de macacão azul, que saltaria pouco adiante. O marido, prostrado na cadeira, a cabeça entre as mãos, fez a pergunta pânica:

— Um mecânico?

Solange, na sua maneira objetiva e casta, confirmou:

— Sim.

Mecânico e desconhecido: duas esquinas depois, já cutucara o rapaz: "Eu desço contigo". O pobre-diabo tivera medo dessa desconhecida linda e granfa. Saltaram juntos: e esta aventura inverossímil foi a primeira, o ponto de partida para muitas outras. No fim de certo tempo, já os motoristas dos lotações a identificavam à distância; e houve um que fingiu um enguiço, para acompanhá-la. Mas esses anônimos, que passavam sem deixar vestígios, amarguravam menos o marido. Ele se enfurecia, na cadeira, com os conhecidos. Além do Assunção, quem mais?

Começou a relação de nomes: fulano, sicrano, beltrano... Carlinhos berrou: "Basta! Chega!". Em voz alta, fez o exagero melancólico:

— A metade do Rio de Janeiro, sim senhor!

O furor extinguira-se nele. Se fosse um único, se fosse apenas o Assunção, mas eram tantos! Afinal, não poderia sair, pela cidade, caçando os amantes. Ela explicou ainda que, todos os dias, quase com hora marcada, precisava escapar de casa, embarcar no primeiro lotação. O marido a olhava, pasmo de a ver linda, intacta, imaculada. Como é possível que certos sentimentos e atos não exalem mau cheiro? Solange agarrou-se a ele, balbuciava: "Não sou culpada! Não tenho culpa!". E, de fato, havia, no mais íntimo de sua alma, uma inocência infinita. Dir-se-ia que era outra que se entregava e não ela mesma. Súbito, o marido passa-lhe a mão pelos quadris: — "Sem calça! Deu agora para andar sem calça, sua égua!". Empurrou-a com um palavrão; passou pela mulher a caminho do quarto; parou, na porta, para dizer:

— Morri para o mundo.

O DEFUNTO

Entrou no quarto, deitou-se na cama, vestido, de paletó, colarinho, gravata, sapatos. Uniu bem os pés; entrelaçou as mãos, na altura do peito; e assim ficou. Pouco depois, a mulher surgiu na porta. Durante alguns momentos esteve imóvel e muda, numa contemplação maravilhada. Acabou murmurando:

— O jantar está na mesa.

Ele, sem se mexer, respondeu:

— Pela última vez: morri. Estou morto.

A outra não insistiu. Deixou o quarto, foi dizer à empregada que tirasse a mesa e que não faziam mais as refeições em casa. Em seguida, voltou para o quarto e lá ficou. Apanhou um rosário, sentou-se perto da cama: aceitava a morte do marido como tal; e foi como viúva que rezou. Depois do que ela própria fazia nos lotações, nada mais a espantava. Passou a noite fazendo quarto. No dia seguinte, a mesma cena. E só saiu, à tarde, para sua escapada delirante, de lotação. Regressou horas depois. Retomou o rosário, sentou-se e continuou o velório do marido vivo.

PAIXÃO DE MORTE

PRIMEIRA PARTE

Soube que o filho chegava em casa, todas as noites, às três ou quatro da manhã, e sempre bêbado. Chamou o Simão Bocanegra, que era companheiro e confidente do rapaz:

— Vem cá, Bocanegra, chega aqui um instantinho.

— Pronto, seu Floriano.

E o velho, mascando o charuto apagado:

— Explica cá um negócio: o que é que há com o Nei?

Bocanegra coçou a cabeça. E vamos e venhamos: era natural o seu escrúpulo, seu Floriano podia não gostar e ele, Bocanegra, não queria ficar mal. Mas o patrão insistiu:

— Pode falar! Tu sabes que, comigo, não tem bandeira. Não sou pai caxias e topo tudo. É mulher?

Bocanegra arriscou:

— Mais ou menos.

Seu Floriano percebeu que o outro contaria o resto. Fez-lhe um interrogatório em regra. E o Bocanegra, a princípio incerto e contido, acabou dizendo tudo. O chefe quis saber:

— Paixão?

— Sim.

— Paixão no duro, batata?

Bocanegra confirmou e aduziu que "paixão de matar e de morrer". Seu Floriano, que tinha fanatismo por aquele filho, pôs as mãos na cabeça:

— E a fulana? Que tal? Justifica?

O outro foi sóbrio:

— Serve.

224

Descontente, o patrão explodiu:

— Serve ou é um espetáculo? Ou você diz tudo ou está sujo comigo!

Então, Bocanegra derramou-se: "Boa! Muito boa!". Ao lado, mordendo o charuto, seu Floriano ouvia só, impressionado. Quando soube que a outra era "manicura" e "viúva", respirou aliviado:

— Então, não tem problema!

— Por quê?

E o velho:

— Paga-se a menina e pronto!

Meio sem jeito, Bocanegra começou a explicar: "Mas a fulana é séria e gostava do marido!", Réplica taxativa do velho:

— Conversa. Quer dinheiro e dinheiro há, percebeste? Dinheiro há!

Batia nos bolsos: "Pensei que fosse alguma menina, de família!". Levantou-se. Satisfeito, anda de um lado para outro:

— E toma nota do que eu vou te dizer: mulher nenhuma gosta de marido morto. Pode crer, o que eu não quero é ver o Nei bêbado.

Bocanegra levantou-se. Antes de sair, começou:

— Ah, outra coisa, seu Floriano: andam dizendo por aí que eu arranjo mulher para o Nei, mas é mentira!

Seu Floriano soltou o seu largo riso plebeu:

— Pois, se não arranja, devia arranjar! — Baixou a voz: — Eu prefiro que arranjes, mas olha: mulheres limpas, sem problemas. E vê se resolve o caso da manicura, que eu te dou algum, por debaixo da mesa!

O PAI E O FILHO

Nei tinha vinte e dois anos, precisamente, e estudava direito. O pai era franco: "De analfabeto, basta eu!". E, de fato, fora até o quarto ano e olhe lá. Queria ver o filho advogado. Nei estava no último ano, e, na obsessão do dinheiro, já avisara ao rapaz:

— Se for preciso, compra-se toda a banca examinadora, contanto que passes!

Era um bom homem, seu Floriano. Começara de baixo. Quando Nei completou um ano, a mulher, que era a sua paixão

225

(até hoje), fugira com o dentista. Uma tarde, ao chegar em casa, ele encontra em cima do aparador o bilhete: "Nosso gênio não combina. Olímpia". O gênio combinava sim, ou por outra: seu Floriano fazia-lhe todas as vontades, todas, inclusive as absurdas. Durante um ano e alguns dias de casado, fora um trapo nas mãos daquela esposa. Dizia-se, até, que apanhava dela. E uma coisa, no episódio, doeu-lhe de maneira particular e intolerável. O dentista era um tipo miúdo, de tórax de tísico, cabelo escasso e maus dentes. Fosse outro, qualquer outro, e a humilhação teria sido menor. Mas aquele espirro de gente que, ainda por cima, tinha mau hálito! Felizmente Olímpia deixara-lhe a criança. Nunca mais o homem conseguira gostar de outra mulher. E, de vez em quando, vinha-lhe uma funda, uma dilacerada nostalgia da infiel. Então, no quarto, com a luz apagada, gemia de maneira surda, quase bovina: "Olimpinha! Olimpinha!". Por várias vezes, no quarto ao lado, o filho ouvira esse pesado lamento. Seu Floriano não tinha, então, nada de si. Ele próprio, numa autocrítica desaforada, chamava-se a si mesmo de pé-rapado, borra-botas. Mas a dor e a vergonha de ter perdido a mulher parece que lhe serviram de incentivo. Meses depois comprava, não se sabe como, o primeiro lotação. Esse foi o seu ponto de partida. O trabalho ininterrupto agia, nele, como um anestésico para a angústia de marido abandonado. Pensava no filho e só no filho. Prometia a si mesmo: "Há de ser tudo o que não fui!". Respirava fundo e continuava, com o lábio trêmulo e o olho rútilo: "Há de ter todas as mulheres que eu não tive!".

Homem simples e instintivo, com rompantes brutais, achava que tudo se compra, inclusive mulher. Piscava o olho para o filho: "Quem não gosta de dinheiro?". Em poucos anos, reuniu uma apavorante frota de lotações que, segundo cálculos sóbrios, deviam andar em trezentos carros ou mais. Um jornal de escândalo chamou-o de "o gângster dos lotações". Leu e releu a descompostura. E, depois, numa satisfação profunda, colou o recorte num espelho do seu imundo escritório. Quanto ao filho, à sombra do obtuso amor paterno, foi crescendo. Sempre nos melhores colégios, fez sete, dez, quinze anos. Nas aulas conseguia ser, infelizmente, o pior, sempre. Seu Floriano examinava as notas e rugia:

— Cretinos!

Referia-se aos professores, que, segundo sua opinião textual, eram, sempre, "umas boas bestas". Achava o filho bonito como um moço-deus. Sempre que o via, perguntava: "Tens dinheiro?". O outro respondia:

— Tenho.

Insistia:

— Queres mais?

Enfiava-lhe na mão três ou quatro notas (abobrinhas). Soprava-lhe ao ouvido, com o empenho do pai enternecido: "Dinheiro nunca é demais!". Vivia a açulá-lo: "Gasta! Gasta!". E ficava radiante ao saber que o filho levava no carro, presente paterno, sempre três, quatro pequenas. Mas o velho não se esquecia de alertar:

— Tudo, menos casamento. Meu filho, quem se casa é burro!

O AMOR

Simão Bocanegra trabalhava no escritório com seu Floriano. Mas fez-se amigo de Nei e o velho o chamou um dia: "Você agora vai acompanhar meu filho para toda a parte!". Bocanegra tinha, na companhia, uma posição pouco acima de contínuo. Fez seus cálculos: "Altíssimo negócio!". E não largou mais o filho do patrão. Justiça se lhe faça: tornou-se, rapidamente, de uma eficiência esmagadora. A toda hora, e em toda parte, sugeria ou oferecia pequenas. Perguntava-lhe:

— Que tal aquela?

Nei bocejava:

— Mais ou menos.

E o outro:

— Queres?

Respondeu:

— Manda.

Até que, um dia, Nei entra num salão de barbearia, na cidade. Sentou-se na sua cadeira e estava fazendo a barba quando ouve a pergunta:

— Quer fazer as unhas?

Antes de responder, olhou a manicura de voz quente, macia. Diga-se de passagem que, desde o primeiro olhar, animou-se. Dorinha era uma moça bonita ou, mais exatamente, "bonitona''. Corpo cheio, compacto, de mulher. Mas tinha uma tal vida, uma emanação tão sensível, uma feminilidade tão intensa que, ao lhe entregar a mão, Nei estava comovido. Indagou:

— Solteira?

E ela:

— Viúva.

Quando saiu de lá, uns quarenta minutos depois, cutucou o Simão Bocanegra:

— Olha, presta atenção: ou eu conquisto essa pequena ou meto uma bala na cabeça!

Bocanegra ainda brincou:

— Sossega, leão-de-chácara! Você não é de suicídio, que eu sei!

Puxando um cigarro, Nei repetiu:

— Te juro, te dou minha palavra de honra: meto, sim, ora essa se meto!

O outro ria, ainda:

— Mas vem cá: você sempre não disse que toda mulher é vigarista? Disse ou não disse?

— As outras, sim. Essa, não. E te digo mais: nunca na minha vida, absolutamente nunca, tive um interesse tão grande por uma zinha!

Pouco depois, no automóvel de Nei, este ia dizendo:

— E sabe quem vai atracar a menina em meu nome, sabe?

Bocanegra antecipou-se:

— Eu?

— Exato. Mete uma conversa na menina, propõe um passeio comigo.

Cínico, o outro pergunta:

— E quanto é que eu levo nisso?

Foi vago, mas animador:

— Te dou um presente.

SEGUNDA PARTE

Tanto Nei como Bocanegra achavam que a conquista não teria maiores problemas. Bocanegra ia mais longe: ''Barbada!''. E, de fato, não via como uma menina modesta e, ainda por cima, viúva, podia resistir a um garotão bonito e rico. Quanto ao

Nei, já fizera os seus cálculos na seguinte base: uma vez que a manicura entrasse no automóvel, ele a levaria para o apartamento. Lá tinha de tudo: geladeira, vitrola, televisão, o diabo e, sobretudo, um banheiro de mármore, digno de uma Cleópatra. E o fato é que Simão Bocanegra voltou ao salão para combinar o passeio. Antes, porém, de falar com Dorinha, chamou o Caveirinha. Baixa a voz:

— Vais me fazer um favor, de mãe pra filho caçula?

Caveirinha, enchendo de sabão o queixo do Bocanegra, anima: .

— Mete lá.

Bocanegra baixa a voz:

— Quero a ficha completa da nova manicura.

— Dorinha?

— Sim. Que tal?

Caveirinha foi sintético e taxativo:

— Uma mascarada.

— Como assim?

E o outro:

— Metida a besta. Não dá pelota pra ninguém.

Admirou-se:

— No duro?

Caveirinha deu outras informações e graves:

— Imagina tu o seguinte: tu conheces o Baldomero, a besta do Baldomero?

— O leiloeiro?

— O leiloeiro. Pois o Baldomero deu em cima e não arranjou nada. Dureza, meu filho, dureza!

DESESPERO

Depois da barba, Bocanegra foi fazer as unhas, justamente com Dorinha. Conversou bem uns quarenta minutos. Saiu de lá impressionadíssimo. Nei, que o esperava na esquina, pergunta:

— Que tal?

— Nada feito.

— Por quê?

— Muito mascarada. Uma chata! Disse que não, que absolutamente. Só você vendo!

Em pé, na esquina, Nei esbravejou:

— Que vigarista!

Bocanegra o arrastou:

— Mulher é o que não falta!

Mas Nei levava, na alma, a dor da frustração.

IDÉIA FIXA

Durante dois ou três dias, Nei não tocou no assunto. Tanto que o Bocanegra concluiu, um tanto imprudentemente: "Esqueceu". Ilusão. Filhinho de papai rico e, ainda por cima, com uma estampa atlética e, mesmo, cinematográfica, Nei não tinha o hábito de resistência. Uma tarde, no apartamento que, segundo o Bocanegra, só faltava falar, o rapaz explodiu. Vira-se para o companheiro, que estava pondo uma pedrinha de gelo no copo, e diz-lhe:

— Queres saber de uma coisa?

— Qual é o drama?

Estica as pernas:

— Essa Dorinha tem que ser minha, nem que seja no peito!

Bocanegra bebe, lambe os beiços e é sumário: "Deixa pra lá!". Nei ergue-se, vai até a janela e volta:

— Há três noites que eu não durmo, pensando nessa cara. Menino, acho que estou apaixonado!

Mais uns dez minutos, e Nei apanha o telefone. Discou e quando atenderam do outro lado ele baixa a voz:

— Por obséquio, quer me chamar a Dorinha?

Bocanegra ainda quis protestar: "Não faça isso! Estás dando cartaz!". Mas já o Nei, controlando a própria emoção, estava falando:

— Dorinha? Sou eu, Nei. Lembra-se de mim?

Ela fez a pausa da surpresa. Perguntou:

— Quem?

E Nei, já nervoso, já angustiado:

— Sou aquele rapaz assim assim, que fez as unhas com você trasanteontem.

Fria, irredutível, Dorinha cortou:

— Desculpe, mas estou ocupada no momento. Com licença.

E desligou. Por um momento, Nei não soube o que dizer, o que pensar. Largou o telefone. Nunca o sentimento da frustração lhe fora tão agudo, tão intolerável. Quem exultou foi o Bocanegra:

— Não te disse? Não te avisei? Batata, meu filho, batata!

E Nei, arriando na poltrona:

— Máscara! Pura máscara!

Apanhou o copo, bebeu e levanta-se novamente: — "Vamos sair. Quero beber, encher a cara". O outro observou: "Vamos beber aqui, rapaz!". Nei rebenta:

— Eu quero cachaça. — E repetia, desfigurado: — Cachaça!

O ENCONTRO

Beberam até cair. No dia seguinte a mesma coisa. Bocanegra ainda quis convencê-lo:

— Mas pra que isso? Não há motivo ou há?

Respondeu, brutalmente:

— Bebo em homenagem a minha dor-de-cotovelo, percebeste?

O companheiro argumentou: "Escuta: até agora, não houve nada. Ou por outra: — houve uma resistência inicial, que é normalíssima". Nei rosna: "Mas é uma mascarada!". Bocanegra protesta:

— As mascaradas também caem, ora pipocas!

Então, numa amargura medonha, Nei abre o coração:

— Eu bebo não pelo que sofri, bebo pelo que vou sofrer. Sei que essa menina vai fazer de mim gato e sapato.

Durante quatro dias, Nei, como ele próprio dizia, "encheu a cara". No quinto dia, foi fazer as unhas com Dorinha. Pergunta:

— Quer sair, hoje, comigo?

Ergue o rosto:

— Nem hoje, nem nunca.

TERCEIRA PARTE

Baixou a vista e continuou a limpar as unhas do rapaz. Ele deixava passar um minuto, dois, três. Por fim, quase sem mover os lábios, diz:

— Olha, escuta o que eu vou te dizer: tu hás de ser minha, viva ou morta!

Dorinha ergue o rosto. Nei repetiu, sem desfitá-la:

— Você será minha, viva ou morta.

Falara entre sério e brincando. Olharam-se por um momento e, em seguida, a menina, sem uma palavra, continuou o trabalho. Nei, com certa angústia, deixou passar dois ou três minutos. Baixou a voz:

— Você acredita ou não?

Perguntou:

— Em quê?

E ele:

— No que eu lhe disse?

Teve um meio sorriso:

— Você é criança!

— Acha?

Encarou-o:

— E não é?

Então, sôfrego, ele fez a pergunta:

— Posso te esperar na saída? Posso?

— Nunca!

Irritou-se:

— Por que, ora pipocas?

Foi doce, mas irredutível:

— Amo meu marido.

A princípio, não entendeu: "Marido?". E, como a garota confirmasse, insistiu:

— Você não é viúva?

— E daí?

— Mas é ou não é?

Parece desafiá-lo:

— Sou.

— Então não tem marido coisa nenhuma. Um morto não é marido de ninguém.

— Pois eu amo meu marido mais do que nunca.

— Mas ele está morto.

A GORJETA

Até o fim, não houve entre os dois nenhuma palavra mais. Ele, num silêncio ressentido, olhava, só. Sua vontade era de dizer-lhe: "Mascarada! Sua mascarada!". Mas aquela pequena, quase desconhecida, era agora, na sua vida, uma necessidade vital. Dir-se-ia que não saberia viver sem ela. Quando acabaram, ele pagou a despesa e deu-lhe uma cédula grande. A menina admirou-se:

— O que é isso?

Disse:

— Para você.

Atônita, balbucia:

— Mil cruzeiros?

— Por que não?

O rosto de Dorinha tomou a expressão de um descontentamento cruel. Estendeu-lhe a mão:

— Tome!

— Não quer?

— Segure!

Houve, por um momento, uma situação incômoda, que já chamava atenção. Desconcertado, quis saber: "Mas por que, ora essa?". Apesar de tudo, ela foi discreta. Na sua cólera controlada, ia falando, baixo:

— Isso não é gorjeta e fique sabendo: eu não me vendo!

Nei apanhou de volta o dinheiro. Quis contornar o incidente: "E menos, aceita, não aceita?". Dorinha já ia atender outro freguês:

— De você, eu não aceito nada.

DESPEITO

Saiu dali humilhadíssimo.

Agarrou o Simão Bocanegra e desabafa:

— Vem escutar a última, vem!

Contou-lhe tudo, exagerando:

— Só faltou me cuspir na cara!

O Simão Bocanegra tratou de pôr lenha na fogueira:

— O culpado é você mesmo. Quem manda você dar confiança?

Caminhando com o amigo, lado a lado, pela calçada, Nei continuou:

— E ainda por cima viúva! Queres saber a minha opinião, no duro, batata? Eu acho que a viúva não devia ter escrúpulos, nem tem direito de ter escrúpulos. É ou não é?

O Simão Bocanegra, que era filho de viúva, quis objetar: "Nem todas são iguais!". Mas o outro, com autoridade de patrão, ou de filho de patrão, encostou-o à parede:

— Responde: — alguma mulher deve satisfação a um morto?

Coçou a cabeça:

— Bem...

— Sim ou não?

Simão Bocanegra admitiu:

— Não!

Pararam na esquina. Com as duas mãos enfiadas no bolso, Nei plantou-se: "Bem: vou esperar essa cara aqui". Bocanegra vacila: "E eu?". Primeiro, Nei queria que o outro fosse ao apartamento, esperá-lo. Mas o Bocanegra, por hábito, por subserviência ou o que fosse, diz:

— Também fico.

— Ou fica. Tanto faz. Mas juntos, não.

Bocanegra atravessou a calçada e ficou do outro lado, espiando. Pouco depois, saía a garota, com um costume cinza, o corpo·cheio de mulher casada, a beleza um pouco maciça, um pouco plebéia, de Lollobrigida. Nei barrou-lhe os passos.

— Dá licença?

Ela, que não o vira, estacou surpresa:

— Outra vez?

Pediu:

— Queria uma palavrinha sua.

Dorinha quis passar adiante, mas ele a segurou pelo braço, na sua violência contida: "Fique!".

Encarou-o, espantada, mas sem medo:

— O senhor está maluco?

Nei, já comovido, começa a dizer:

— Eu quero de si apenas cinco minutos, nada mais. — E implorava: — Cinco, está bem?

E ela:

— Está bem.

HONESTA

Por um momento, Dorinha olhou esse rapaz tão forte, bonito e viril, cuja figura chamava a atenção das outras mulheres no meio da rua. Julgou ler nos seus olhos azuis uma súplica quase infantil. Teve pena e suspirou: "Ah, vocês, homens!". Nei percebeu que a pequena cedia e animou-se. Começou: "Bem: é o seguinte...". Ela interrompeu:

— Não precisa. Eu falo por si. Eu sei o que você quer.

— Sabe?

Da outra calçada, Bocanegra os acompanhava a distância. Dorinha continuou:

— Você, naturalmente, achou que, sendo eu manicura e, além do mais, viúva, seria facílima.

Quis protestar:

— Absolutamente!

E ela:

— Sim senhor. Eu sei como são essas coisas. Achou, sim. Mas uma coisa eu quero lhe avisar: eu não serei sua, nem de ninguém, nunca. Escutou?

— Posso lhe fazer uma pergunta?

Ela suspira, novamente:

— Pois não.

— Você tem alguém?

— Tenho.

Por um momento, Nei pensa num flerte, um namoro iniciado ou um amante, talvez. Mas quando Dorinha disse que esse alguém era o marido, o morto, ele experimentou uma sensação de vitória. Estaca e sugere:

— Vamos fazer o seguinte: — eu levo você em casa.

— Deus me livre!

Implorou:

— Levo e te juro, por tudo que há de mais sagrado, te juro que não tocarei em ti, que não vou pegar na tua mão. Te deixo num lugar perto de casa e tu não te arrependerás. Sim?

Falara de uma maneira tão comovida, e com um tom tão ardente de apelo, que Dorinha se deixou tocar:

— Está bem: — vamos. Mas quero dizer a você o seguinte: — eu posso ser de qualquer homem. Qualquer um, percebestes? De você, nunca! De você, em hipótese nenhuma!

QUARTA PARTE

Dorinha morava no Rio Comprido. Até o meio do caminho, viajava em silêncio. E o curioso é que Nei, que tinha o hábito da conquista e do convívio feminino, sentia-se comovido como nunca. Já ia entrando em Paulo de Frontin, quando quebrou o silêncio:

— Viu como eu sou bem-comportado?

Sorriu:

— Estou vendo.

E ele, numa felicidade absurda:

— Pois é isso que eu quero de você: — confiança. Quero que você acredite em mim. Responda: acredita?

Suspirou:

— Não sei. Ainda é cedo. — Pausa e concluiu, com involuntária tristeza: — Eu não acredito em homem.

Estavam chegando a seu destino e Nei reduzia a marcha. Encosta numa esquina e começa:

— Vamos fazer um trato?

— Depende. Qual?

Acendeu o cigarro, soprou a primeira fumaça:

— É o seguinte: — eu dou-lhe a minha palavra de honra de que só acontecerá entre nós o que você quiser, só. Mesmo que você fique sozinha comigo, num deserto, numa ilha selvagem ou num quarto, eu não encostarei o dedo num fio de seu cabelo. Está bem?

Repetiu:

— Eu não acredito em homem.

Saltou numa esquina, pouco adiante.

MALVADA

Foi encontrar o Bocanegra, com outros amigos, num barzinho de Copacabana. Contou que a levara até perto de casa. Bocanegra inflama-se:

— Atracaste?

— Você é besta!

O espanto do companheiro foi imenso:

— Não atracaste?

— Fui um frade, de sandália e camisola. Nem segurei na mão.

Bocanegra deu largas à sua admiração:

— Mas não é possível! E te digo mais: — estou te desconhecendo. Você sempre entrou de sola! Responde cá uma coisa: — não é viúva?

— E daí?

Bocanegra abre os braços:

— Onde já se viu respeitar uma viúva? Te falo de cadeira: — tive um caso com uma viúva de quinze dias, rapaz, de quinze, vê se pode! Pois bem: — quando lhe dei o primeiro beijo na boca, ela só faltou subir pelas paredes!

Então, Nei tratou de convencê-lo:

— Olha aqui, presta atenção; — a Dorinha é diferente, compreendeu? É outra coisa!

— Diferente uma ova! A única mulher diferente é a fria, só a fria. E a tua pequena não é fria, nem aqui, nem na Cochinchina! Fria, pois sim!

Só no fim é que, encarando o amigo, Nei disse tudo:

— Além disso, eu a amo. É amor no duro, amor batata! Pela primeira vez, amor!

— Abre o olho, rapaz, abre o olho!

Nei pagou a despesa e, enfiando a carteira no bolso, parecia tranqüilo:

— Eu sei o que faço!

Mas no dia seguinte, quando ligou para o salão e falou com a pequena, teve a decepção. Dorinha foi logo dizendo:

— Não quero mais vê-lo e tenha a bondade de não me procurar nunca mais.

Tentou insistir, mas a menina, implacável, desligou o telefone.

Fora de si, ficou falando sozinho: — "Ah, cretina! Mascarada!". E já se inclinava a dar razão ao cinismo do Bocanegra: — "Mulher não gosta de ser respeitada". Parecia-lhe que, na véspera, ao levá-la em casa, fizera um papel cômico. Especulava: — "No mínimo, me achou um palhaço!". Os amigos, a quem referiu o episódio, batiam-lhe nas costas:

— Na próxima vez, agarra!

Ele próprio, dilacerado de frustração, imaginava beijos no pescoço ou, então, no ouvido e, depois, na boca. Bocanegra argumentava: — "Você trata essa menina como se fosse uma rainha, ora pinóia!". De tarde, à hora da véspera, lá estava ele, na esquina, à espera. Quando a menina o viu, quis retroceder. Ele apressou o passo, quase correu e a alcançou:

— Fugindo de mim?

Parou:

— Sim.

— Por quê?

E ela:

— Eu lhe peço: — não me acompanhe.

Nei descontrolou-se:

— Mas o que foi que eu fiz? Não a tratei bem ontem? Não a respeitei? Não fui correto contigo?

— Foi, mas...

— Eu não quero nada de si, senão o que você quiser me dar, só e nada mais.

Dorinha pareceu vacilar. Ele imaginou que a pequena fraquejava. Insistiu, sôfrego:

— Deixe que a levo. Olha: faço como ontem, não tocarei em você.

— Mas não entendo a sua insistência.

Ele perdeu todos os escrúpulos. Balbuciou:

— Não percebe que eu a amo?

Dorinha recua:

— A mim?

Instintivamente, quis tocá-la. Dorinha foge com o corpo, crispada. Tem um ríctus de asco, que ele, apavorado, não entende. Pergunta: — "Que é isso?". E ela, desfigurada pela cólera:

— Não me toques!

Virou-lhe as costas e afastou-se, precipitadamente. Partiu no seu encalço:

— Venha cá!

Quis segurá-la, novamente. Mas viu, no rosto da menina, uma tal expressão de anjo, que desistiu. Mudo, ouviu, só. Dorinha trincou as palavras nos dentes:

— Vou lhe dizer pela última vez: — qualquer homem pode me tocar, menos você. E veja, agora, se tem um pouco de brio, de amor-próprio!

Petrificado, deixou-a ir. E, depois, voltou, lentamente, para o carro. Sentia-se um trapo. Meia hora depois estava em casa, no quarto. Bocanegra telefonou-lhe, cerca das dez horas. Ele foi sumário.

— Vai-te pro diabo que te carregue!

Passou a noite toda sentado, numa extremidade da cama, fumando um cigarro atrás do outro. Quando, pela manhã, o pai passou por lá e o viu assim, com uma expressão de louco, assustou-se: — "Que foi, meu filho?". Nei ergue o rosto:

— Meu pai, a mulher que eu amo foge de mim como se eu fosse um leproso!

Seu Floriano viu o filho mergulhar o rosto nas duas mãos e rebentar em soluços.

QUINTA PARTE

Vendo o filho rebentar em soluços, seu Floriano não sabia o que fazer:

— Mas que é isso, meu filho? Que é isso?

E o rapaz, num rompante brutal:

— Nada, meu pai, nada!

Por um momento, o velho contemplou aquele rapaz tão másculo, tão forte, que chorava arrasado, como uma criança. E, de repente, veio-lhe uma irritação, uma cólera contra essas lágrimas de homem. Agarra o filho e o sacode:

— Fala! É a manicura?

— Não sei!

— Quero saber! É a viúva?

Arqueja:

— É.

Seu Floriano explodiu. Andava de um lado para o outro:

— Chorando por causa de uma viúva, de uma manicura! — E esbravejava: — Parece criança, rapaz! Afinal de contas, você é homem, ora bolas!

Por entre lágrimas, respondeu:

— Ela não quer nada comigo!

Seu Floriano senta-se ao lado do filho. Deu-lhe conselhos:

— Em primeiro lugar, seja homem, carambolas! Em vez de chorar, faz o seguinte: — se ela não vai por bem, usa a violência, homessa!

Ergue o rosto:

— Mas eu não sou nenhum gângster!

O velho, que era um simples, um instintivo, berrou:

239

— Se não é, devia ser, que diabo! Ou pensa que mulher não gosta de gângster? Gosta, sim senhor! Não gosta é de babões, de chorões!

Nei levantou-se. Pôs a mão no ombro do seu Floriano:

— Papai, acho que o senhor tem razão. Fui muito burro. Mulher não gosta de ser bem tratada.

— Isso!

Antes de sair, da porta, o seu Floriano insistia:

— Entra à galega!

No dia seguinte pela manhã, o Bocanegra foi acordá-lo. Nei levanta-se e, em pé, no meio do quarto, é outro homem.

— Vais chutar essa imbecil?

— Não, não vou largar. Vou fazer melhor: — mudar de atitude.

— Mudar de atitude?

Explicou:

— Daqui por diante, vou ser um gângster.

Não entendeu:

— Que piada é essa?

E Nei:

— Gângster sexual, percebestes? Já planejei tudo, e o golpe, sabe qual é? Simples como água: — eu vou fazer tudo para levar a garota em casa, outra vez. E assim que ela puser o pé no carro eu toco para a avenida Niemeyer, sem castigo!

Simão Bocanegra coça a cabeça:

— Não acho golpe!

— Por quê?

— Isso é "juventude transviada" e sabe como é: — a violência dá cana!

Em calça de pijama, nu da cintura para cima, Nei foi escovar os dentes no banheiro. Ria, sórdido, e dizia, com o dentifrício a escorrer-lhe pela boca, como uma baba grossa:

— O velho já me autorizou e vou mergulhar de cabeça. Te digo com pureza d'alma: — essa menina ainda vai me levar ao crime.

Durante o dia, teve as idéias mais desesperadas. Pensou, inclusive, em mandar-lhe pelo Bocanegra ou, então, entregar-lhe pessoalmente um cheque fabuloso. Por exemplo: — de cem mil cruzeiros. Imaginou que qualquer mulher diante de uma quantia dessas havia de receber um impacto tremendo. Acabou desistindo do cheque. Às quatro e meia, experimentou uma nostalgia tão aguda, tão desesperadora, que não se conteve. Apareceu no salão para fazer as unhas. Mas a viu tão linda, tão fresca, que toda a sua irritação dissolveu-se numa onda maior de ternura. Esperou que Dorinha ficasse livre e aproximou-se. Balbuciou:

— Sou eu.

Sentou-se. Dorinha examina as unhas do rapaz. Encara-o:

— Você não precisa fazer as unhas.

Quase sem mover os lábios, começou:

— Preciso falar com você. Quer que eu a leve para casa hoje?

Foi implacável:

— Nunca mais.

Desesperou-se:

— Por quê?

— Preciso repetir que você não me interessa?

E ele:

— Explique, ao menos, por quê! Eu não sou pior, nem melhor do que ninguém. Mas não me julgo um monstro. Custa você aceitar uma gentileza minha?

Olharam-se. Com tristeza, e não sem doçura, ela disse:

— Eu não acredito em homem.

Embora controlando-se para não chamar a atenção, ele protestou:

— Não diga isso! E se eu lhe provar que a amo?

Admirou-se:

— Mas nem me conheces!

Teimou:

— Se eu lhe provar que mereço a sua confiança?

— Não acredito. Provar como? Essas coisas não se provam.

Nei passou a mão na da pequena:

— Quer casar comigo?

Por um momento, Dorinha não soube o que fazer, o que pensar. Vermelho, o coração disparado, Nei pensava: — "Fiz mal? Fiz bem?". Ele repetiu:

— Quer ser minha esposa?

Ela perguntou:

— É essa a prova?

— E não basta?

Dorinha respirou fundo:

— Vou lhe dizer uma coisa e acredite: com muita pena. Não queria magoá-lo.

Já sofrendo por antecipação, ele diz:

— Pode falar.

Estava de cabeça baixa, limando as unhas do rapaz. Sem olhá-lo, começou a falar:

— Há, no mundo, um único homem que não pode ser meu namorado, meu marido, nem meu amante. Esse homem é você.

— Eu?

— Você compreende agora por que eu estava fugindo de você? Por que não queria sair com você? Não lhe queria dizer.

— Por quê?

Houve um silêncio, que ela própria rompeu: — "Se você quer ainda sair comigo, uma vez, uma última vez, pode me esperar". Quando Nei saiu de lá, levava, no mais íntimo de si mesmo, um ódio como jamais conhecera. Foi para a esquina e dizia de si para si: — "Tu me pagas!".

ÚLTIMA PARTE

Foi para a esquina. Lá esperou uns vinte minutos, fumando um cigarro atrás do outro. Praguejava interiormente: "Cínica! Cínica!". Nunca fora tão violento, tão cego, o seu desespero de homem. Finalmente Dorinha saiu. O carro estava duas ou três esquinas adiante. Caminharam em silêncio e, súbito, a pequena pergunta:

— Mas você vai cumprir mesmo o que me prometeu? Não vai?

E ele, atirando fora o cigarro:

— O que foi que eu prometi?

— Que não toca em mim.

Com surdo sofrimento, respondeu:

— Claro.

Entraram no automóvel, Dorinha na frente com ele, e Nei, com meio riso sardônico, arranca como um louco. Surpresa e inquieta, a garota pede:

— Não corra tanto!

Riu:

— Por quê?

— Fico nervosa!

Aumentando a velocidade, ele diz tudo:

— Olha: agora quem manda sou eu, e você nem pia!

Fora de si, Dorinha grita:

— Pare, que eu quero descer!

Na fúria da velocidade, ele a instigava:

— Aqui podemos ir mais devagar.

Sem cólera, apenas com tristeza e asco, Dorinha disse:

— Igual aos outros, a todos!

Nei começou:

— Você fez de mim gato-sapato e só faltou me cuspir na cara. O que você fez comigo não se faz com um homem. Por que me tratou assim?

— Não digo.

De novo, dominado pela cólera, perdeu a cabeça:

— Sua mascarada! Sabe o que eu vou fazer contigo, sabe?

De perfil para ele, respondeu:

— Estou disposta a tudo.

— E não tem medo?

— Nenhum.

Nei baixou a cabeça e a voz:

— Sabe que, inclusive, eu posso te matar? E de morrer, tens medo?

Disse, com certa doçura:

— Nem de morrer.

O rapaz enfureceu-se novamente; gritou:

— Tua coragem é outra máscara! Ou não é?

Sorriu:

— Talvez.

O GÂNGSTER

Internou-se na direção da pequena praia íntima, fora do roteiro dos carros que, à distância, passavam. Espantada, Dorinha sentiu que iam ficar sós, desesperadamente sós, como se fossem o único casal na Terra. Finalmente, o carro parou. Ele foi sumário:

— Salta!

Cruzou os braços:

— Não quero.

Crispou a mão no braço da garota:

— Ou tu saltas ou eu te rebento a cara agora mesmo! Queres ver como te quebro a cara, sua cínica?

Balbuciou:

— Salto, mas me larga!

Estavam, agora, fora do automóvel. Ele comandou: "Vamos!". E, como a sentisse vacilar, quis puxá-la. Ela, porém, fugiu com o corpo:

— Não precisa me segurar: — eu vou!

Caminharam, em silêncio, enterrando os sapatos na areia fofa. Estavam diante do mar. Encararam-se. Nei pergunta:

— Sabe o que eu vou fazer?

— Não.

— Já saberás. Mas primeiro responde: por que não posso ser nem teu namorado, nem teu noivo, nem teu marido, nem teu amante? Anda, responde!

— Queres mesmo saber?

— Quero!

E ela:

— Porque te amo!

Balbuciou:

— A mim?

— A ti.

Olharam-se. E, súbito, Nei sente que lhe rompe das profundezas do ser um impulso de ternura, de amor, como jamais sentira. Estende a mão para a menina. Dorinha recua, num grito:

— Não me toque!

— Por quê?

Recua ainda:

— Qualquer um pode me tocar, menos você. Você, não!

Fora de si, perseguiu-a pela praia. Foi alcançá-la, finalmente, mais adiante. Agarrou-a, solidamente. Queria saber: "Por quê?". E ela, soluçando:

— Eu não fujo, mas solte-me!

Então, no seu desespero, ele pergunta:

— Por que recusaste o meu beijo? Sou por acaso algum leproso?

Dorinha ergueu o rosto:

— Não: — o leproso não és tu. Eu é que sou leprosa, eu!

Atônito, ouviu o resto:

— Tenho um amante que me beija. Outros me beijam. Mas a eles eu não amo, e a ti, amo. Só tu és sagrado para mim!

Nei não fez um gesto, não disse uma palavra, quando Dorinha correu gritando na direção do mar.

ESTA OBRA FOI COMPOSTA PELA HEL-
VÉTICA EDITORIAL EM GARAMOND
LIGHT E IMPRESSA PELA GRÁFICA EDI-
TORA BISORDI EM OFF-SET PARA A EDI-
TORA SCHWARCZ EM NOVEMBRO DE
1992.